D0985312

STUDI E TESTI DI LETTERATURE IBERICHE E AMERICANE

Collana diretta da G. Bellini

1. P. Neruda, *Memorial de Isla Negra,* a cura di Giuseppe Bellini (1978) .... L. 5500
2. F. Cerutti, *Sei racconti nicaraguensi,* a cura di F.C. (1978) .... L. 4200
3. S. Serafin, *Miguel Angel Asturias, Bibliografía italiana y antología crítica* (1979) .... L. 4500
4. M. Simões, *García Lorca e Manuel de Fonseca. Dois poetas em confronto* (1979).

SILVANA SERAFIN

MIGUEL ANGEL ASTURIAS

BIBLIOGRAFIA ITALIANA Y ANTOLOGIA CRITICA

CISALPINO - GOLIARDICA

[ISBN 88-205-0191-0]

Via Bassini/2 - Milano (Italia)
Finito di stampare
nel mese di maggio 1979
dalla Fotolito R. Dini
Via Pergolesi 31 - Modena

INDICE

INTRODUCCION

No faltan en Italia notas bibliográficas referentes a Miguel Angel Asturias y su obra, como puede verse en las fichas consignadas en el oportuno apartado de esta *Bibliografía.* Pero, a más de atrasadas, inevitablemente, ellas son parciales y a veces sumarias, dedicadas a mencionar sólo los ensayos críticos, o bien las traducciones realizadas en Italia. La que ahora presentamos es una bibliografía completa, al día hasta fines de 1978, de lo que se ha escrito en nuestro país en torno a tan importante novelista y poeta. Ella se refiere a los distintos aspectos de su obra, y también a su biografía.

Es natural que, cuando aparezca este trabajo, la bibliografía italiana en torno a Asturias haya aumentado. Sabemos de estudios en elaboración de varios colaboradores italianos en la empresa de edición crítica de las obras asturianas, dirigida por Amos Segala. Consta, además, que un ensayo de Giuseppe Tavani, *Tensioni autoesegetiche nella poesia di Asturias,* aparecerá en breve en los "Studi di Letteratura Ispano-americana"; que Giuseppe Bellini, el mismo Tavani, Giovanni Meo Zilio y Cesco Vian colaborarán en sendos tomos de la edición crítica arriba mencionada de las obras de Asturias, y que el mismo Bellini dará a luz en breve parte importante de la correspondencia del escritor guatemalteco con él, documento de un período de la vida de Miguel Angel Asturias de los más importantes.

Con todo, por más que en los próximos años se sumen otras fichas a las que van en esta *Bibliografía* – y es lo que deseamos – nuestro trabajo no habrá sido vano, pues documenta el impacto que la creación artística asturiana, y su autor mismo como persona humana, causaron en Italia.

Será posible así hacer una serie interesante de consideraciones. Entre ellas la varia y difícil fortuna de sus obras en el ámbito editorial. El número de las fichas presentadas en estas páginas señala por un lado un marcado interés de la crítica por la obra asturiana, especialmente la narrativa; pero hay que aclarar que este interés se verificó sobre todo en ámbitos universitarios, pues la llamada crítica "militante" siguió desconociendo a Asturias hasta el Premio Nobel, y después. Cuando en 1967 la prestigiosa distinción recayó en el guatemalteco muy pocos todavía eran los títulos traducidos y, como ya lo señaló el propio Bellini – *Miguel Angel Asturias en Italia,* "Revista Iberoamericana", 67, 1969,– los editores se apresuraron a encargar traducciones, para aprovechar, económicamente por cierto, la ocasión. Es un hecho que hasta el momento de la entrega del Nobel a Asturias nada se había traducido en Italia del teatro de este escritor; y de su obra narrativa habían aparecido las traducciones de *El Señor Presidente, El Papa Verde, Week-end en Guatemala, Viento fuerte.* En cuando a la poesía, ya se había dado a conocer, a través del volumen antológico *Parla il "Gran Lengua",* y los *Sonetos de Italia,* aparecidos en 1965. El Nobel sirvió, pues, para Italia, a un mejor, y más rápido, conocimiento de casi toda la obra asturiana. En los años siguientes toda su narrativa fue traducida, con excepción de *El espejo de Lida Sal,* parte de las *Leyendas de Guatemala* (la mayor), *Viernes de dolores;* por lo que a poesía se refiere fue traducida, por Amos Segala, *Clarivigilia Primaveral;* del teatro se tradujeron *Soluna* y *Torotumbo.* Habrá, sin embargo, que subrayar el gran desorden con que la obra de Miguel Angel Asturias fue difundida en Italia, a veces en traducciones pésimas, dificultando así un mejor conocimiento, de parte del público italiano, de tan importante producción artística.

En cuanto a la crítica, casi exclusivamente universitaria, repito, ya en años anteriores a 1967 se dedicó a estudiar la obra asturiana. En 1966, por ejemplo, aparecía el segundo libro dedicado, en ámbito internacional, a estudiar la producción artística de Asturias, en este caso la narrativa; seguía al conocido de Castelpoggi en Buenos Aires, y sirvió a llamar más la atención de los críticos hacia la obra asturiana. Me refiero a *La narrativa di Miguel Angel Asturias,* que edita en 1966 Giuseppe Bellini, luego traducido al castellano y publicado por la Editorial Losada, en 1969. Libro ya en parte superado, se entiende, porque llega a examinar la obra de Asturias hasta la publicación de *Mulanta de tal* y *El Alhajadito,* y que merecería se pusiera al día en una nueva edición. No olvidemos que, con Amos Segala, Bellini fue quien más se dedicó a dar a conocer la creación artística de Asturias, como también esta *Bibliografía* demuestra, especialmente en el ámbito crítico.

Naturalmente fue la narrativa la que más interesó a los críticos italianos. Si examinamos las fichas recogidas aquí, a más de 4 trabajos biobibliográficos sobre Asturias, encontramos 18 ensayos de conjunto, 4 en torno al "realismo mágico", 14 sobre novelas síngulas. A la poesía se dedicaron 9 ensayos, 3 al teatro, 6 a las relaciones entre Asturias escritor y otros escritores o literaturas. Van recordados también 4 "Homenajes", 9 traducciones de obras narrativas, 4 empresas de difusión de la poesía, 2 traducciones de teatro, 6 publicaciones por vez primera de ensayos y textos inéditos, 3 traducciones de ensayos. El total da 89 fichas, incluyendo las 3 dedicadas a bibliografía. Es esta la consistencia de la bibliografía italiana referente a Asturias.

En el orden de la *Bibliografía* que aquí se ofrece hemos seguido un criterio temático general y dentro de cada tema la sucesión alfabética por autores, en cuanto se refiere a la *crítica;* el orden cronológico de aparición por lo que se refiere a las publicaciones en traducción y los inéditos.

Sigue a la *Bibliografía* una *Antología crítica,* en la que damos trozos selectos de los ensayos dedicados a estudiar la obra de M.A. Asturias, limitándonos a lo que nos ha parecido más conveniente a representar los resultados a que ha llegado la crítica italiana, y sus tendencias.

Silvana Serafin

Venecia, marzo de 1979.

I

BIBLIOGRAFIA

1. Bellini, Giuseppe: *Bibliografia generale,* en *La Letteratura ispanoamericana dall'età colombiana ai nostri giorni,* Milano-Firenze, Accademia-Sansoni, 1970.

2. —— : *Nota bibliográfica,* en Asturias, Miguel Angel: *Tres Obras,* Caracas, Biblioteca Ayacucho, 1977.

3. Raimondi, Piero: *Nota bibliografica,* en *M.A. Asturias,* Milano, Club degli Editori, 1973.

II

ESTUDIOS BIOBIBLIOGRAFICOS

1. Bellini, Giuseppe: *M.A. Asturias en Italia,* "Revista Iberoamericana", 67, 1969.

   El autor ilustra, a través de referencias testimoniales y cartas personales del escritor, el período italiano de Asturias hasta su nombramiento a Embajador de Guatemala en París.

2. —— : *Recuerdo de M.A. Asturias desde Italia,* "Repertorio Americano", 4 (Heredia, Costa Rica), 1975.

   Evocación de una larga amistad con M.A. Asturias, su vida en Italia y las relaciones con Italia, hasta el momento de la muerte del escritor.

3. —— : *Cronología de M.A. Asturias,* en Asturias, M.A., *Tres Obras,* Caracas, Bibl. Ayacucho, 1977, pp. 472-568.

4. —— : *Cinque lettere inedite di M.A. Asturias,* "Rassegna Iberistica", 2, 1978.

   Con estas cartas, de enero-junio de 1964, se aclara un período de la vida y los proyectos de Asturias en Italia.

III
ESTUDIOS DE CONJUNTO

1. Altomonte, Antonio: *L'impegno di Asturias* en "L'Osservatore Politico-Letterario", xx, 7; 1974, pp. 73-77.

   Caracterización del compromiso humano de M.A. Asturias.

2. Bellini, Giuseppe: *La narrativa di Miguel Angel Asturias,* Milano, Cisalpino, 1966 (ed. castellana con el mismo título, Buenos Aires, Losada, 1969). pp. 220.

   Primer estudio italiano de la narrativa de M.A. Asturias, con datos inéditos en torno a la biografía y la obra del escritor guatemalteco.

3. —— : *La letteratura Ispano-americana dall'età precolombiana ai nostri giorni,* Milano-Firenze, Accademia-Sansoni, 1970. Cfr. pp. 342-43 y 422-429.

   Panorama de la literatura hispanoamericana, con presentación de las principales obras de M.A. Asturias. Amplia bibliografía al final del texto.

4. —— : *La vita e l'opera di M.A. Asturias,* Milano, Fabbri, 1975, pp. 25-57.

   Exposición de conjunto de la vida y la obra del escritor guatemalteco, como introducción a la publicación de algunas de sus obras.

5. —— : *La destrucción del personaje en la novela de Miguel Angel Asturias,* "Studi di Letteratura Ispano-americana", 3, 1971, pp. 7-15.

   Ensayo sobre la técnica de construcción negativa del personaje en la denuncia asturiana de la condición humana de América.

6. —— : *M.A. Asturias, l'uomo e l'opera,* en *Homenaje a M.A. Asturias,* "Studi di Letteratura Ispano-americana", 7, 1976, pp. 23-31.

   Estudio de conjunto con ocasión de la muerte del escritor y homenaje del Seminario de Literaturas Ibéricas e Iberoamericanas de la Universidad de Venecia al desaparecido Premio Nobel.

7. Campa, Riccardo: *Miguel Angel Asturias,* "Nuova Antologia", Roma, fasc. 2005. 1968, pp. 124-127.

Esbozo dedicado al hombre y al escritor.

8. De Gennaro, Giuseppe: *I felici tropici di M.A. Asturias narratore,* "Civiltá Cattolica", 119, 2822, 1968, pp. 148-157.

Estudio en torno a la contrastante realidad que inspira la obra del escritor guatemalteco.

9. —— : *Il sentimento tragico della vita nell'opera di Asturias,* "Letture", XXIII, 5, 1968, pp. 339-356.

Profundizado examen de los motivos existenciales en la obra de Asturias.

10. Lunardi, Ernesto: *Asturias. Perennità dell'anima indigena,* "Terra Ameriga", 12, 1967-68.

11. Melis, Antonio: *La parabola di Miguel Angel Asturias,* "Ad Libitum", 4, 1968, pp. 74-76.

Breve reseña de la obra asturiana.

12. Meregalli, Franco : *Presentazione di M.A. Asturias in occasione della laurea "ad honorem" dell'Università di Venezia,* "Studi di Letteratura Ispano-americana", 7, 1976, pp. 43-44.

Palabras pronunciadas con ocasión de la concesión de la laurea "ad honorem" de la Universidad de Venecia, el 16 de mayo de 1972.

13. Morelli, Gabriele: *Linguaggio e narrativa negli ultimi libri di Asturias,* "Studi di Letteratura Ispano-americana", 3, 1971, pp. 39-54.

Análisis del procedimiento estilístico adoptado por M.A. Asturias en *El Alhajadito, El espejo de Lida Sal, Mulata de Tal* y *Maladrón.*

14. Pittarello, Elide: *Essenza e funzione del mondo vegetale nell'universo "primitivo" di M.A. Asturias,* "Studi di Letteratura Ispano-americana", 6, 1975, pp. 73-86.

Contribución en clave etnológica al estudio del mundo asturiano.

15. Raimondi, Piero: *M.A. Asturias,* Milano, Club degli Editori, 1973. Cfr. pp. IX–LXIII.

Amplio estudio dedicado a la vida y la obra del escritor, como introducción a la edición de algunas de sus obras.

16. Segala, Amos: *M.A. Asturias, Nobel per la letteratura 1967,* "Europa", 1967.

17. —— : *Fonction et dialectique de l'indigenisme et de l'hispanité dans l'oeuvre d'Asturias,* "Europe", 553-554, pp. 101-118.

Estudio de dos obras teatrale, *La Audiencia de los Confines* y *Las Casas, obispo de Dios* – nueva versión de la primera obra teatral citada – y la novela *Maladrón,* referente a la conquista española de América y sus efectos.

18. Vian, Cesco: *Miguel Angel Asturias romanziere-poeta dei Maya d'oggi,* en "Lingue e Cultura", II, 2, 1956, pp. 5-8.

Primer estudio italiano en torno a *Hombres de maíz,* con valoación del elemento poético y el mito.

IV
ESTUDIOS SOBRE EL REALISMO MAGICO

1. Bellini, Giuseppe: *La narrativa de Miguel Angel Asturias entre magia y denuncia,* "Boletín de A.E.P.E.", III, 5, 1971, pp. 7-29.

Estudio sobre el particular "realismo mágico" en la obra de Asturias, y el compromiso del escritor con el hombre y el mundo americanos.

2. —— : *El laberinto mágico de M.A. Asturias,* "Papeles de Son Armadans", LXII, 185-186, 1971, pp. 199-231.

Estudio dedicado particularmente a *Maladrón* y sus implicaciones en la vuelta de Asturias al mundo mágico de sus orígenes.

3. —— : *Il labirinto magico di "Maladrón"*, en Bellini, Giuseppe: *Il labirinto magico: studi sul "nuovo romanzo" ispano-americano,* Milano, Cisalpino, Goliardica, 1973, pp. 227-258.

   Reelaboración del estudio anterior, en el ámbito del "realismo mágico" hispanoamericano.

4. De Cesare, Giovanni Battista: *Note e riflessioni su Asturias: dal "realismo magico" alla magia della realtà,* "Studi di Letteratura Ispano-americana", 7, 1976, pp. 65-72.

   Conexión entre el surrealismo y el substrato mitológico maya en Asturias, fuente de continua renovación sintáctico-lexical.

V

ESTUDIOS SOBRE NOVELAS SINGULAS

1. Bellini, Giuseppe: *La protesta nel romanzo ispano-americano del Novecento,* Milano, Cisalpino, 1957, pp. 81.

   Estudio en el que se destaca el papel de *El Señor Presidente* en la protesta política.

2. Bellini, Giuseppe: "Introduzione" a: M.A. Asturias, *Week-end in Guatemala,* Milano, Nuova Accademia, 1964 (Cfr. pp. 11-17).

   El autor destaca el valor de *Week-end en Guatemala* en el ámbito de la narrativa de Asturias y su experiencia vital cuando la invasión de los mercenarios de Castillo Armas.

3. —— : *Nota critica* a: *El Señor Presidente,* en M.A. Asturias, *Tres obras,* Caracas, Bibl. Ayacucho, 1977, pp. 225-228.

   Situación de la obra y su valor permanente en el ámbito de la novela hispanoamericana.

4. —— : *Nota critica* a *: Leyendas de Guatemala,* en M.A. Asturias, *Tres obras,* Caracas, Bibl. Ayacucho, 1977, pp. 3-6.

   El autor subraya el significado del mito en la mencionada obra y la fusión actuada con el mundo hispánico de la Conquista.

5. —— : *Nota critica* a : *El Alhajadito,* en M.A. Asturias, *Tres obras,* Caracas, Bibl. Ayacucho 1977, pp. 121-124.

Destaca el autor el valor de la novela en el ámbito del mundo íntimo asturiano.

6. —— : *"El Señor Presidente" y la temática de la dictadura en la nueva novela" hispanoamericana,* "Publications du Séminaire M.A. Asturias", Cahier I, Université de Paris X, Nanterre, 1975, pp. 13-47.

Examen de la influencia de la obra de M.A. Asturias en la "nueva novela" de la dictatura.

7. —— : *"Monsieur le Président" et le thème de la dictature dans le nouveau roman hispano-américan*, "Europe", 553-554, 1975, pp. 151-162.

Sumariamente repite el contenido del ensayo anterior.

8. —— : *El Señor Presidente y la novela hispanoamericana de la dictadura,* "Anuario de Estudios Centroamericanos", 3, 1977, pp. 27-55.

Examen detenido de la novela de Asturias y su presencia en las recientes novelas de Aguilera Malta Carpentier, Roa Bastos, García Márquez, sobre el tema de la dictadura.

9. —— : *Il mondo allucinante: "El Señor Presidente'*, en Bellini Giuseppe, *Il mondo allucinante, da M.A. Asturias a G. García Márquez: studi sul romanzo ispano-americano della dittatura,* Milano, Cisalpino-Goliardica, 1976, Cfr. pp. 13-45.

El mundo alucinante de *El Señor Presidente,* examinado en su atmósfera obsesiva y cruel y en su novedosa estructura, en la que ya se manifiestan la "nueva" novela hispanoamericana y el realismo mágico.

10. De Cesare, Giovanni Battista: *Unità ed episodicità di "Hombres de maíz": contributo a una analisi del romanzo di Asturias,* en "Studi di Letteratura Ispano-americana", 5, 1974, pp. 29-44.

Estudio de la técnica narrativa de la mencionada novela, cuya unidad se basa en la variedad de los modos de análisis de la experiencia.

11. Mauro, Walter: "Introduzione" a M.A. Asturias, *La pozza del mendico,* Roma, Veutro, 1966.

Presentación de *El Alhajadito.*

12. Panebianco, Candido: *Problematica e denuncia in "Week-end en Guatemala" di Asturias,* "Studi di Letteratura Ispano-americana", 7, 1976, pp. 91-97.

Análisis detenido de las distintas narraciones, en las que destaca el credo de M.A. Asturias y su esperanza en un porvenir distinto para su pueblo.

13. Perujo, F.: *Il glossario dell'uomo di mais,* "La Fiera letteraria", XLII, 49, 1967.

14. Segala, Amos: *Asturias entre demonios cristianos y mayas,* "Papeles de Son Armadans", LXII, 185-186, 1971, pp. 391-400.

VI
ESTUDIOS SOBRE POESIA

1. Bellini, Giuseppe: "Introduzione" a M.A. Asturias, *Parla il "Gran Lengua",* Parma, Guanda, 1965; segunda edición, 1967, pp. IX-XXI (aumentada).

Valoración de la poesía de M.A. Asturias, dentro del sentimento de la "indianidad".

2. —— : "Introduzione" a M.A. Asturias, *Sonetos de Italia,* Milano, Cisalpino, 1965, pp. 9-12.

3. —— *: La poesía de M.A. Asturias,* "Revista Nacional de Cultura", 180, Caracas, 1967, pp. 125-127.

Repite fundamentalmente los conceptos expresados en la introducción a *Parla il "Gran Lengua".*

4. —— : *La poesía latinoamericana oggi,* "Ulisse" XXI, IX, 62, Firenze, 1968, pp. 150-164.

Breve reseña de la poesía contemporánea, incluyendo a Asturias.

5. —— : *I "Sonetos venecianos" di Asturias,* "Studi di Letteratura Ispano-americana", 7, 1976, pp.121-129.

Valoración del significado que para Asturias tuvo su residencia en Italia, especialmente en Venecia, como inspiración para la poesía.

6. De Cesare, Giovanni Battista: *"Tecún-Umán" de M.A. Asturias,* "Papeles de Son Armadans", LXII, 185-186, 1971, pp. 317-341.

Estudio original sobre el poema de Asturias en su elaboración fantástica, y técnica, en su unidad de significado.

7. Segala, Amos: "Introduzione" a M.A. Asturias, *Clarivigilia Primaveral,* Milano, Lerici, 1969; nueva edición: Milano, Accademia, 1971, pp. 7-44.

8. Tavani, Giuseppe: *Sulle correzioni d'Autore in "Clarivigilia Primaveral" di Asturias,* "Studi di Letteratura Ispano-americana", 7, 1976, pp. 109-120.

Estudio parcial en torno a las variantes aportadas por Asturias al poema en la segunda redacción.

9. Fiorentino, Luigi: *Noterella guatemalteca,* en *Il polso delle muse,* Milano, Istituto Propaganda Libraria, 1977, pp. 163-169.

Breve nota en torno a la poesía de M.A. Asturias.

VII
ESTUDIOS SOBRE TEATRO

1. Raimondi, Piero: *Miguel Angel Asturias, premio Nobel, è anche un profondo nobile drammaturgo,* en "Il Dramma", Torino, 376-377, 1968, pp. 71-76.

Valoración de la obra dramática de Asturias en su significado comprometido.

2. —— : "Introduzione" a M.A. Asturias, *Soluna,* "Il Dramma", 380-381, 1968.

Breve presentación del drama.

3. Segala, Amos: *I miti demistificanti di Asturias,* "Studi di Letteratura Ispano-americana", 3, 1971, pp. 33-37 (ya en "Il Dramma" 45, 7, 1969).

Ensayo en torno a las relaciones de Asturias con el teatro y la realidad americana, especialmente a través del drama *Torotumbo,* sacado de *Weekend en Guatemala.*

VIII
RELACIONES LITERARIAS

1. Bellini, Giuseppe: *M.A. Asturias y Quevedo* (documentos inéditos), en *Homenaje a Sánchez Castañer,* "Anales de Literatura Hispanoamericana", v, 6, 1979.

Estudio de las relaciones de Asturias con el escritor y publicación de sus últimos poemas, influidos por Quevedo.

2. —— : *Asturias e l'Italia,* en *Storia delle relazioni letterarie tra l'Italia e l'America di lingua spagnola,* Milano, Cisalpino-Goliardica, 1977, pp. 297-304.

Estudio de la posición de Asturias hacia la literatura italiana y presencia de libros italianos en las lecturas del escritor y su biblioteca particular en París.

3. Bodini, Vittorio: *Asturias e Sábato:* en "Ulisse", XXI, IX, 62, 1968.

Breves siluetas de los dos escritores.

4. De Cesare, Giovanni Battista: *Une influence d'Asturias sur Neruda,* "Europe", 553-554, 1975, pp. 193-196.

El autor examina la influencia del primer episodio de *Hombres de maíz* en la nerudiana *Oda a la erosión en la Provincia de Malleco,* de *Nuevas odas elementales.*

5. Segala, Amos: *Asturias-Senghor: un dialogue pour un "autre" universel,* "Europe", 553-554, pp. 31-36.

   Origen y desarrollo de las relaciones entre M.A. Asturias y Leopold S. Senghor, en función de una nueva visión del mundo. El estudio va completado por un homenaje de Asturias a Senghor: *Mon cher confrère en poesíe* y un homenaje de Senghor a Asturias: *Asturias le métis.*

6. —— : *Fonction et dialectique de l'indigénisme et de l'hispanité dans l'oeuvre d'Asturias,* "Europe", 553-554, 1975, pp. 101-118.

   Estudio en torno a las obras dramáticas *La Audiencia de los Confines,* su reelaboración reciente, *Las Casas, Obispo de Dios,* y la novela *Maladrón,* acomunados por el tema de la Conquista y sus efectos en América.

IX
HOMENAJES ITALIANOS

1. Asturias, Miguel Angel: *Sonetos de Italia,* Milano, Cisalpino, 1965.

   Edición homenaje del "Istituto di Letteratura Spagnola e Ispano-americana" de la Universidad "L. Bocconi", en 300 ejemplares numerados, no en venta pública. Contiene una "Introduzione" de Giuseppe Bellini. Comprende los siguientes sonetos escritos en Italia: "Otras ciudades, pero no Venecia", "Venecia, la cautiva", "Los gatos de Venecia", "Carpaccio".

2. AA.VS.: *Homenaje a Miguel Angel Asturias,* "Studi di Letteratura Ispano-americana", 3, 1971, pp. 7-76.

   Contiene los siguientes ensayos: Bellini, Giuseppe: *La destrucción del personaje en las novelas de M.A. Asturias;* De Cesare, Giovanni Battista: *"Tecún-Umán", di M.A. Asturias;* Segala, Amos: *I miti demistificanti di Asturias;* Morelli, Gabriele: *Linguaggio e narrativa negli ultimi libri di Asturias;* Bellini, Giuseppe: *Il labirinto magico di M.A. Asturias.*

3. AA.VS.:*Incontro con M.A. Asturias* (M. A. Asturias, A. Cavallari, Sergio Pautasso), Roma, I.I.L.A., 1973, pp. 43.

   Coloquio-Homenaje a varias voces, con ocasión de la presencia del escritor en el Istituto Italo-Americano de Roma. Contiene: Cavallari, Alberto:

Scheda storica politica di M.A. A.; Pautasso Sergio: *Breve commento all'opera di M.A. A.;* Asturias, Miguel Angel: *Paesaggio e linguaggio nella narrativa latinoamericana.*

4. AA. VS.: *Omaggio a Miguel Angel Asturias,* "Studi di Letteratura Ispano-americana", 7, 1976, pp. 147.

Homenaje del "Seminario di Letterature Iberiche e Iberoamericane" de la Universidad de Venecia, recordando la actuación del escritor guatemalteco en dicha Universidad. Trátase de una colaboración ítalo-francesa, con ocasión de la desaparición de Asturias. Los ensayos de los estudiosos franceses han sido favorecidos por Amos Segala. El tomo contiene: Césaire, André: *Quand M.A. Asturias disparut;* Asturias, Blanca: *A mis amigos de Venecia;* Bellini, Giuseppe: *M.A. Asturias: l'uomo e l'opera;* Senghor, Leópold Sedar: *Asturias le métis;* Meregalli, Franco: *Presentazione di M.A. Asturias in occasione della laurea "ad honorem" dell'Università di Venezia;* Asturias, Miguel Angel: *Dissertazione sul tema: "Paisaje y lenguaje en la novela hispanoamericana";* Verdevoy, Paul: *Miguel Angel Asturias y la "nueva novela" hispanoamericana;* De Cesare, Giovanni Battista: *Note e riflessioni su Asturias: dal "realismo magico" alla magia della realtà;* Nouhaud, Dorita: *Asturias, ¿un escritor por descubrir?;* Panebianco, Candido: *Problematica e denuncia in "Week-end en Guatemala" di M.A. Asturias;* Saint-Lu, J.M.: *"Maladrón": le rire de la première aurore;* Tavani, Giuseppe: *Sulle correzioni d'Autore in "Clarivigilia Primaveral" di Asturias;* Bellini, Giuseppe: *I "Sonetos venecianos" di Asturias;* Aguilera-Malta, Demetrio: *Miguel Angel Asturias en bibliografías andreaiana:* Asturias, Miguel Angel: *Un inédito: "Las Casas Obispo de Dios".*

En cuanto a los *Sonetos venecianos* constan de los ya publicados en *Sonetos de Italia,* a los que se añaden: "Venecia iluminada", "Esta rosa amarilla", "Venecianas islas". De los *Sonetos venecianos* se realizó anteriormente una edición bilingue, de lujo, de 350 ejemplares, en papel especialmente fabricado: *Sonetti veneziani, traduzione di Letizia Falzone, con un profilo dell'Autore, di Giuseppe Bellini,* Alpignano, Tallone Editore Stampatore, 1973.

X
TRADUCCIONES

a) *Narrativa*

1. *L'Uomo della Provvidenza, Il Signor Presidente, (El Señor Presidente,* 1946), trad. de Elena Mancuso, Milano, Feltrinelli, 1958 (nueva edición con el título, *Il signor Presidente,* 1968).

2. *Il Papa Verde,* (*El Papa verde,* 1954), trad. de Attilio Dabini, Roma, Editori Riuniti, 1959.

3. *Week-end in Guatemala,* (*Weed-end en Guatemala,* 1956), trad. de Giuseppe Bellini, Milano, Nuova Accademia, 1964 (luego en dos tomos: I, *Tutti Americani;* II, *Cadaveri per la pubblicità,* ibid., 1965).

4. *Vento forte,* (*Viento fuerte,* 1949), trad. de Cesco Vian, Milano, Rizzoli, 1965.

5. *Uomini di Mais,* (*Hombres de maíz,* 1949), trad. de Cesco Vian, Milano, Rizzoli, 1967; y en segunda edición, en *Miguel Angel Asturias,* Milano, Club degli Editori, 1973.

6. *Mulatta senza nome,* (*Mulata de tal...,* 1963), trad. de Cesco Vian, Milano, Mondadori, 1967.

7. *Gli occhi che non si chiudono,* (*Los ojos de los enterrados,* 1960), trad. de Cesco Vian, Milano, Rizzoli, 1968.

8. *Il ladrone,* (*Maladrón,* 1969), trad. de Amos Segala, Milano, Rizzoli, 1972.

9. *Leggende del Guatemala,* (*Leyendas de Guatemala,* 1930), trad. de Piero Raimondi, en *M.A. Asturias,* Milano, Club degli Editori, 1973. Se traducen: "Guatemala", "Leyenda del Sombrerón", "Leyenda del tesoro del lugar florido".

b) *Poesia*

1. *Parla il "Gran Lengua"*, antología poética, traducción y estudio introductivo de Giuseppe Bellini, Parma, Guanda, 1965. Nueva ed. aumentada, ibid., 1967.

2. *Clarivigilia Primaveral,* traducción y estudio crítico de Amos Segala, Milano, Lerici, 1969. Nueva ed., Milano, Accademia 1971.

3. *Miguel Angel Asturias,* Milano, Club degli Editori, 1973.

   Contiene varios poemas en traducción de Giuseppe Bellini, sacados de las dos ediciones de *Parla il "Gran Lengua"*, y otros en traducción de Piero Raimondi, quien cuida el volumen.

   Los textos indicados a los números 1.y 2. son ediciones bilingües; no lo es el n.3.

4. *Sonetti veneziani,* trad. de Letizia Falzone, Alpignano, Tallone, 1973.

c) *TEATRO*

1. *Soluna,* trad. de Piero Raimondi, "Il Dramma", 380-381, 1968. (Luego en *M.A. Asturias,* Milano, Club degli Editori, 1973).

2. *Torotumbo,* trad. de Amos Segala, "Il Dramma", 7, nueva serie, 1969.

d) *ENSAYO*

1. *Originalità e caratteristiche del romanzo latinoamericano,* "Terzo Programma", 4, 1964.

   Aunque no se indica, la traducción es de Amos Segala.

2. *Velázquez al di là della pittura,* estudio introductivo a *L'opera completa di Velázquez,* Milano, Rizzoli, 1969.

   Como la anterior, la traducción, aunque no indicado, es de Amos Segala.

3. *Introduzione* a Leopold Sedar Senghor, *Poemi africani*, Milano, Rizzoli, 1971.

XI
INEDITOS PUBLICADOS EN ITALIA POR PRIMERA VEZ

1. *El "Señor Presidente como mito*, "Studi di Letteratura Ispanoamericana", 1, 1967.

   Estudio en torno a las características "brujas" del dictador en Centroamérica. Fue texto de conferencia.

2. *Juan Ramón Molina, poeta gemelo de Rubén*, ibidem, 2, 1969.

   Aunque publicado anteriormente en revista, quedaba prácticamente casi desconocido este ensayo de evaluación del poeta modernista, contemporáneo de Darío. Utilizó el texto M.A. Asturias en varias conferencias.

3. *Algunos apuntes sobre "Mulata de tal"*, "Studi di Letteratura Ispano-americana", 5, 1974.

   Estos apuntes, que ofrecen la clave de la novela indicada, fueron escritos por Asturias en Italia, a pedido de Giuseppe Bellini.

4. *Paisaje y lenguaje en la novela hispanoamericana*, ibidem, 7, 1976.

   Es el discurso de M.A. Asturias, con ocasión de la laurea "ad honorem" en la Universidad de Venecia, en 1972 (16 de mayo).

5. *Un inédito di M.A. Asturias: "Las Casas, Obispo de Dios"*, ibidem.

   No es la obra completa, sino algunos pasajes de la nueva redacción de la antigua pieza *La Audiencia de Los Confines*.

6. *Cinque lettere inedite di Asturias*, "Rassegna Iberistica", 2, Milano, 1978.

   Partenecen al período italiano, precisamente a los meses enero-junio de 1964. Publica estas cartas Giuseppe Bellini a quien van dirigidas.

ANTOLOGIA CRITICA

MIGUEL ANGEL ASTURIAS: L'UOMO E L'OPERA

A Miguel Angel
« desde el extremo de este instante fugaz que retenemos con palabras ».

A pochi mesi dalla morte di Pablo Neruda si spegneva a Madrid, il 9 giugno 1974, un altro « grande » delle lettere ispano-americane, Miguel Angel Asturias, Premio Nobel nel 1967. Scompare con lui uno dei massimi narratori di lingua spagnola, forse il più grande del Novecento, e un uomo che per tutta la vita diede l'esempio di una resistenza senza cedimenti alla dittatura, agli allettamenti del danaro e del potere.

Era nato il 19 ottobre 1899 a Guatemala City; i genitori — avvocato il padre, maestra la madre — privati dei loro impieghi dal dittatore Estrada Cabrera, del quale erano acerrimi oppositori, avevano dovuto rifugiarsi in una cittadina dell'interno dove, per sopravvivere, si erano dedicati al piccolo commercio. A contatto del mondo rurale e della dura vita dei contadini Miguel Angel Asturias sceglie la sua strada, che sarà sempre quella della difesa dei deboli e dell'opposizione ai tiranni. Tornato nella capitale per intraprendere gli studi universitari egli è uno dei più attivi oppositori del dittatore e tra i principali organizzatori dello sciopero studentesco del 1920, che ne provoca la caduta. Da questo momento, e per tutta la sua esistenza, Asturias combatterà una dura lotta in difesa della libertà e della dignità dell'uomo, senza mai piegarsi a lusinghe o a minacce, sopportando spesso anche la miseria.

La formazione letteraria di Asturias, le cui disposizioni per la poesia e per la narrativa si manifestano prestissimo, avviene soprattutto a Parigi, dove si reca nel 1921. Nella capitale francese egli segue i corsi che Georges Raynaud tiene alla Sorbona sulle religioni e i miti meso-americani; presto diviene un valido collaboratore del maestro, sotto la cui guida intraprende diverse ricerche, acquistando coscienza del valore delle civiltà indigene. Asturias traduce, infatti, la « Bibbia dei quichés », il *Popol-Vuh* ([1]), e gli *Anales de los Xahil* ([2]), dei « cakchiqueles », ma più che il rigore scientifico lo attrae la creazione letteraria. È di questi anni la gestazione delle *Leyendas de Guatemala,* che appariranno nel 1930 ([3]), e di un romanzo che darà allo scrittore risonanza internazionale, *El Señor Presidente.* Questo libro, già ultimato nel 1932, vede la luce solo nel 1946 ([4]); esso rappresenta l'inizio di un viaggio, mai concluso, in una particolarissima regione sentimentale, dove i valori del mondo guatemalteco vengono esaltati quale essenza del mondo americano. Asturias approfondisce un clima poetico che scaturisce dall'epoca coloniale e pre-ispanica. Nell'evocazione della complessità spirituale di questo mondo, della natura animata da una vita intima sottile, prende avvio il « realismo magico »: la dimensione della realtà confonde continuamente i suoi contorni con la leggenda, la vita reale sconfina frequentemente nel sogno.

Il carattere inedito delle *Leyendas* si impose a Paul Valéry; presentando la traduzione francese, nel 1931, egli definiva il libro un insieme di «storie-sogni-poesia », nel quale vedeva confondersi con grazia « le credenze, i racconti e tutte le età di un popolo d'ordine composito, tutti i prodotti sostanziosi di un terra possente e sempre convulsa, nella quale i diversi ordini di forze che generarono la vita dopo aver innalzato la decorazione di rocce e di *humus* stanno ancora minacciosi e fecondi, come disposti a creare, tra due oceani, a colpi di catastrofe, nuove combinazioni e nuovi temi d'esistenza » ([5]).

L'entusiasmo del poeta francese ha radici anche nell'attrazione dell'esotico, ma egli non andava errato allorché sottolineava il valore poetico delle *Leyendas.* In esse rivive l'atmosfera mitico-sacra del *Popol-Vuh,* insieme all'incanto del mondo coloniale. In questo libro Asturias è un creatore insuperabile di magie, di architetture inedite e fantastiche, nelle quali la realtà perde la durezza dei suoi contorni.

([1]) M.A. Asturias attende alla traduzione del *Popo-Vuh* in collaborazione con J.M. González de Mendoza. Detta traduzione è reperibile attualmente nella « Biblioteca Clásica y Contemporánea » della Editorial Losada, Buenos Aires, 1965.

([2]) La traduzione è ora inclusa nella « Biblioteca del Estudiante Universitario », Universidad Nacional Autónoma de México, México, 1946.

([3]) Madrid, Editorial Oriente, 1930. In trad. italiana, a cura di Piero Raimondi, cfr. delle *Layendas: Guatemala, Leggenda del Sombrerón, Leggenda del tesoro del Paese Fiorito,* in *Miguel Angel Asturias,* Milano, Club degli Editori, 1973.

([4]) México, Editorial Costa Amic, 1946. Trad. italiana, a cura di E. Mancuso, col titolo *L'uomo della Provvidenza, il Signor Presidente,* Milano, Feltrinelli, 1958.

([5]) Il libro vinse il premio « Sylla-Monsegur » per il miglior testo straniero tradotto in Francia nel 1931. La citazione è dal « Prólogo » premesso all'edizione bonaerense della Editorial Losada, 1948, p. 9.

Il carattere vigoroso del romanziere si manifesta fin da *El Señor Presidente.* Le note di poesia che permeano le *Leyendas* si attenuano nel romanzo, di fronte all'impegno con cui lo scrittore denuncia la condizione americana sotto la dittatura. Facendo tesoro delle esperienze letterarie parigine, in particolare di quella surrealista, Asturias rinnova d'un colpo la narrativa ispano-americana, con un libro la cui attualità è ancor oggi viva. Partendo dalla dittatura di Ubico, vale a dire da una concreta partecipazione al dramma patrio, ma senza vincolazioni di tempo e di spazio, lo scrittore costruisce un romanzo in cui si riflette il problema di tutto un continente. La lotta tra il bene e il male ha luogo tra singolari rappresentazioni surreali ed « esperpentiche » — la lezione di Valle-Inclán è determinante —, affermando una durissima realtà, un inferno dominato dall'arbitrio del potente, nel quale l'esistenza di ogni giorno è legata a un umiliante sillogismo: « Penso come il Signor Presidente, quindi esisto » ([6]).

Da questo libro, cupo, amarissimo, sbocciano tuttavia alcuni fiori, affermazioni positive sul cammino della speranza. E innanzitutto che il male, per potente che sia, non può soffocare il bene, distruggere le qualità spirituali di un popolo. Sul ritmo di un tempo sempre uguale, dominato da un medesimo spettacolo, file di prigionieri politici diretti al carcere, prende concretezza un messaggio di fede nel giorno della libertà e della giustizia.

Col romanzo successivo, *Hombres de maíz,* che appare nel 1949 ([7]), Miguel Angel Asturias inaugura concretamente il « nuovo romanzo » ispano-americano, dando all'uomo preminenza sulle suggestioni dell'ambiente e del folklore, quale protagonista primo del proprio mondo, ma senza rifiutare la magia del mito e della natura. Fino al momento del Premio Nobel il libro era stato poco valutato, anzi si erano fatte riserve intorno alla sua struttura, all'azione dei personaggi, alla concezione dell'opera, che sembrava tradire le forme tradizionali del romanzo ([8]). Ma proprio in *Hombres de maíz* Asturias rivoluzionava la tradizione romanzesca; il libro, diviso in vari episodi, collegati solo da un tenue filo, persegue e raggiunge un fine principale, quello di denunciare, nella lotta tra « maiceros » e indigeni, un ulteriore aspetto della drammatica condizione americana, sottoposta all'arbitrio del potere e del danaro. I « maiceros », infatti, distruggono le selve per estendere le aree coltivabili a mais, a fini

([6]) M.A. Asturias, *El Señor Presidente,* Buenos Aires, Losada, 1948, p. 244.
([7]) Buenos Aires, Losada, 1947. Trad. italiana, a cura di C. Vian, col titolo *Uomini di mais,* Milano, Rizzoli, 1967.
([8]) Cfr. in particolare, a questo proposito, S. Menton, *Historia crítica de la novela guatemalteca,* Guatemala, Editorial Universitaria, 1960, pp. 222-223.

unicamente di lucro; vi si oppongono gli indigeni, per i quali — lo attesta il *Popol-Vuh* — questo cereale è sacro, essendo entrato nella formazione dei primi uomini.

L'argomento è fin troppo semplice all'apparenza, ma per comprendere *Hombres de maíz* occorre tener presente l'obiettivo di Asturias: denunciare il potere malefico del danaro. Lungi dall'essere un libro d'evasione, il romanzo è una nuova presa di coscienza intorno alla realtà americana; con esso inizia l'elegia e l'inno al mondo felice perduto, distrutto dalla malvagità degli uomini, dalla sete di ricchezza e di potere.

L'impegno di Miguel Angel Asturias si manifesta in una marcata intonazione politica nei libri successivi a *Hombres de maíz;* da *Viento fuerte* (1949) [9] a *El Papa verde* (1950) [10], a *Los ojos de los enterrados* (1960) [11], con l'amarissimo intermezzo di *Week-end en Guatemala* (1956) [12], lo scrittore accentua la sua dedizione alla causa della libertà. I primi tre libri citati costituiscono la « trilogia bananera », sorta di « episodios nacionales » che presentano le vicende della lotta contro lo sfruttamento nordamericano e per la democrazia, mentre *Week-end en Guatemala* scaturisce da una reazione violenta all'invasione mercenaria del paese appoggiata dagli Stati Uniti, contro il governo democratico di Jacobo Arbenz. Asturias era allora ambasciatore in Salvador e alla caduta del governo legittimo — che aveva tentato in tutti i modi di sostenere col suo prestigio — partì per l'esilio, trovando dapprima ospitalità presso l'amico Neruda, in Cile, poi in Argentina, dove portò a compimento *Los ojos de los enterrados.*

Le riserve avanzate da taluni per quanto concerne la « trilogia bananera » e *Week-end en Guatemala,* attestano una volta ancora scarsa comprensione delle motivazioni asturiane e della sua arte [13]. Per quanto il motivo politico sia evidente nei libri citati, esso non si trasforma mai in nota propagandistica, né soverchia in Asturias il narratore genuino. In *Viento fuerte* egli esalta la fiduciosa fatica, presto delusa, dei piccoli piantatori di banane, denuncia lo sfruttamento del capitale straniero, la soggezione al potere del danaro, la

---

[9] Buenos Aires, Losada, 1949. Trad. italiana, a cura di C. VIAN, col titolo *Vento forte,* Milano, Rizzoli, 1965.

[10] Buenos Aires, Losada, 1950. Trad. italiana, a cura di A. DABINI, col titolo *Il Papa verde,* Roma, Editori Riuniti, 1959.

[11] Buenos Aires, Losada, 1960. Trad. italiana, a cura di C. VIAN, col titolo *Gli occhi che non si chiudono,* Milano, Rizzoli, 1968.

[12] Buenos Aires, Goyanarte, 1956. Trad. italiana, a cura di G. BELLINI, col titolo *Week-end in Guatemala,* Milano, Nuova Accademia, 1964.

[13] Cfr. a questo proposito: F. ALEGRÍA, *Breve historia de la novela hispanoamericana,* México, De Andrea, 1969, p. 226.

perdita della libertà. Ciò che conta nel romanzo è il vigore con cui lo scrittore presenta un aspetto della realtà americana, la vita nelle piantagioni, e l'efficacia con cui rende i valori positivi della sua gente, continuamente vessata e sfruttata, l'affermazione di una moralità sulla quale fonda la certezza di un futuro diverso. Benché materialmente vincitore, il « Papa verde », padrone onnipotente della compagnia « frutera », « signore dell'assegno e del coltello, navigatore nel sudore umano » ([14]), è destinato alla sconfitta. Infatti, nel romanzo successivo, *El Papa verde*, dove la presenza del mito sembra contendere il posto alla denuncia, il potente signore, che impone il peso di una dura realtà di sfruttamento e d'ingiustizia, è condannato alla solitudine e a vedere il suo impero finire con lui, in quantto frutto solo di peccaminoso egoismo. La condizione del popolo guatemalteco appare disperata nel libro, e tuttavia, al disopra della tragedia, il mito reca un messaggio di speranza; i *brujos*, che comunicano con il mondo degli spiriti, interpretando il linguaggio dei morti, affermano l'inevitabilità della vittoria: « I nostri petti rimarranno in calma sotto le acque, sotto i soli, sotto le sementi, finché arriverà il giorno della vendetta, nel quale gli occhi dei sepolti ritorneranno a vedere » ([15]).

Per comprendere *El Papa verde* occorre tener presente il contesto politico al quale si riferisce, la situazione determinata dalla dittatura di Ubico, e il momento in cui Asturias scrive. Da poco, infatti, era al governo Arbenz e ricostruendo la storia del suo paese lo scrittore si accingeva a celebrare la vittoria della democrazia; senonché il 17 giugno 1954 inizia l'invasione mercenaria. Superata la reazione del momento — di cui è frutto *Week-end en Guatemala* —, Asturias porta a termine il terzo volume della trilogia, *Los ojos de los enterrados*. Il romanzo disorienta dapprima il lettore, ma presto gli si offre come un grande affresco del mondo guatemalteco, dove ogni particolare ha vita autonoma ed è in pari tempo parte imprescindibile del quadro. La successione di scene, di personaggi, lo spezzettarsi della trama, tutto risponde a un unico fine, quello di introdurre nella condizione più intima di un popolo che la dittatura e la corruzione, che ne è conseguenza, non sono riuscite a domare. Romanzo a tesi, di viva partecipazione, aderente a una realtà che lo scrittore soffre intensamente, ma permeato anche di sottile poesia per la presenza del mito e della leggenda, per la vivacità cromatica di una natura che sembra ripetere il paradiso terrestre, *Los ojos de los enterra-*

([14]) M.A. Asturias, *El Papa verde*, Buenos Aires, Losada, 1949, p. 12.
([15]) *Ivi*, p. 51.

dos stimola il lettore alla riflessione sui problemi fondamentali che concernono l'uomo, primo tra essi quello della libertà.

Con il romanzo citato si chiude la parentesi più accesa politicamente di Asturias; anche se egli continua a partecipare attivamente ai problemi del suo mondo, il richiamo del mito, dal quale presero avvio le *Leyendas*, diviene irresistibile. Lo attestano un libro di remota gestazione, passato attraverso una elaborazione complessa, fino alla stampa, nel 1961, *El Alhajadito* ([16]), e *Mulata de tal* ([17]), che appare due anni dopo. Nell'*Alhajadito* l'animismo, la magia del sogno, il dominio sbrigliato della fantasia, danno vita a un mondo di dimensioni interiori di inedita ricchezza spirituale, aperto solo agli iniziati. Queste categorie e caratteristiche si potenziano in *Mulata de tal*, dove la fantasia si muove padrona. Tra creature divine e demoniache, tra nani e « gigantones », in un universo deforme e accattivante, dominato dai « demonios terrígenos » e dal demonio « cristiano » in lotta tra di loro, lo scrittore afferma l'eccellenza del mondo aborigeno su quello europeo della Conquista, che introdusse le radici del male. Miguel Angel Asturias dichiarò ([18]) che sua intenzione, scrivendo questo libro, era stata di fissare per sempre le caratteristiche indo-ispaniche del Guatemala, sul punto di scomparire nell'impatto con la civiltà meccanizzata. In *Mulata de tal* la nostalgia per ciò che è indigeno si manifesta irresistibile, senza che ciò significhi adesione passiva al folklore, bensì identificazione sincera con ciò che per lo scrittore rappresenta un regno incontaminato di valori. La complicata architettura del romanzo conferma il barocchismo asturiano, in un documento di singolare rilievo artistico, in cui è ribadita una fondamentale concezione morale, per la quale l'uomo viene restituito alla sua piena responsabilità di artefice del proprio destino, ma anche di condizionatore degli altrui destini.

Il richiamo del mondo indigeno, della sua nota di magia, si rafforza anche nei libri seguenti, dai racconti de *El espejo de Lida Sal* (1967) ([19]), agli ultimi romanzi, *Maladrón* (1969) ([20]) e *Viernes de dolores* (1972) ([21]). *El espejo de Lida Sal* è dominato da un clima di

---

([16]) Buenos Aires, Goyanarte, 1961. Trad. italiana, a cura di E.Mancuso, col titolo *La pozza del mendico*, Roma, Veutro, 1966.

([17]) Buenos Aires, Losada, 1963. Trad. italiana, a cura di C. Vian, col titolo *Mulatta senzanome*, Milano, Mondadori, 1967.

([18]) Cfr. M.A. Asturias, *Algunos apuntes sobre « Mulata de tal »*, in « Studi di Letteratura Ispano-americana », 5, 1974, p. 22.

([19]) México, Siglo XXI, 1967.

([20]) Buenos Aires, Losada, 1969. Trad. italiana, a cura di A. Segala, col titolo *Il ladrone*, Milano, Rizzoli, 1972.

([21]) Buenos Aires, Losada, 1972.

« paesaggi addormentati », illuminati da una « luce d'incantesimo e di splendore », nella celebrazione del Guatemala « Paese verde, Paese degli alberi verdi. Valli, colline, selve, vulcani, laghi verdi, verdi, sotto il cielo azzurro senza una macchia. E tutte le combinazioni dei colori dei fiori, delle frutta e degli uccelli nello sciame delle aniline. Memoria del tremore della luce. Annessioni di acqua e di cielo, di cielo e di terra. Annessioni. Modificazioni. Fino all'infinito dorato dal sole » ([22]). È un clima di magia, in cui i contorni del reale si confondono con l'irreale, ma per imporre continuamente una lezione etica, che si manifesta nel contrasto tra un mondo di valori puri e quello pesantemente reale contaminato dal peccato.

Il ritorno insistente di Asturias al Guatemala ha una ragione anche sentimentale, determinata dalla sua condizione di esule. Di « passione guatemalteca » trabocca, infatti, *Maladrón,* libro in cui l'« elegia delle Ande verdi » rappresenta una nuova immersione nella spiritualità del mondo americano. Partendo dall'epopea della conquista, affermata la grandezza eroica degli indigeni nello scontro con gli esponenti di una civiltà, quella spagnola, tecnicamente più avanzata, ma non superiore, lo scrittore canta la sventura della sua gente, il tramonto dei miti e della magia, per sottolineare, tuttavia, il potere del vinto, che finisce per impadronirsi dello spirito del vincitore e, attraverso il meticciato, per porre le premesse del futuro. La frase ricorrente è: « Tutto è ormai pieno d'inizio! ». La spiritualità indigena è destinata a redimere il conquistatore, dopo averlo disorientato con la dimensione inattingibile della sua essenza.

Nel romanzo che segue a *Maladrón, Viernes de dolores,* lo scenario si sposta dal tempo della Conquista a quello delle lotte democratiche dell'epoca in cui Asturias era studente universitario. Ciò che più conta nel libro è il rinnovarsi di quelle qualità di « fabulación » che caratterizzano la narrativa asturiana, le prodigiose facoltà linguistiche. Lo si può constatare soprattutto nella prima parte del romanzo, dove il mondo periferico della capitale, che vive a contatto della morte — il cimitero e il quartiere che lo circonda —, diviene protagonista. Il chiaroscuro potente legittima il richiamo ai *Sueños* di Quevedo, ma con una nota originale di « humour » non familiare allo scrittore spagnolo del Seicento, e l'assurgere della morte a dimensione unica di un microcosmo che sembra già vivere sotterra.

Scrittore straordinario, avvicinabile ai maggiori autori della narrativa europea affermatisi tra i secoli XIX e XX, Miguel Angel Asturias è anche poeta e drammaturgo. La sua poesia capta l'essenza

---

([22]) M.A. ASTURIAS, *El espejo de Lida Sal,* op. cit., p. 3.

delle cose minuscole, le sensazioni delicate, le note più intimamente spirituali del suo mondo, e, al tempo stesso, proclama una dottrina dell'« indianità » fondata sulla coscienza di un glorioso passato civile, sulla protesta per la condizione presente, ma anche sulla fede incrollabile nel futuro. Una radice profonda collega questa poesia con la spiritualità maya, con le espressioni artistiche della letteratura indigena, in un « indianismo » che riscatta per Asturias l'immagine della sua gente dalla barbarie contingente, imposta da coloro che hanno perduto il contatto vivificante con il popolo.

I primi quaderni poetici di Miguel Angel Asturias sono del 1918; nel 1944 *Sien de alondra* raccoglie la produzione successiva, che ancora si amplia, nel 1955, nelle *Obras escogidas*, dove è compreso anche un libro fondamentale del 1951, *Ejercicios poéticos en forma de soneto sobre temas de Horacio* ([23]). Ma l'opera poetica di maggior rilievo è successiva, contemporanea, in parte, dei *Sonetos de Italia* (1965) ([24]) — raccolta ampliata poi nei *Sonetos venecianos* (1973) ([25]) —, *Clariviglia primaveral* (1965) ([26]), dove l'autore raggiunge esiti altissimi, in assoluta novità d'accenti, cantando le origini delle arti e degli artisti. A distanza di secoli la letteratura indigena mesoamericana trova nel poema un'inattesa e singolare continuazione, in lingua spagnola.

L'adesione di Asturias al suo mondo non si manifesta solo nella ricreazione del mito, nella magia con cui trasforma la realtà, ma in un ben definito impegno. La celebrazione dei miti e della natura, la denuncia della condizione umana riaffermano continuamente una fede incrollabile nel futuro. È questo il messaggio che scaturisce da tutta l'opera dello scrittore guatemalteco, dalla narrativa alla poesia al teatro; lo attesta per quest'ultimo settore *La Audiencia de Los Confines* (1957) ([27]), dove la figura del Padre Las Casas, « Apostolo

---

([23]) Per una scelta della poesia di M.A. ASTURIAS, cfr. l'antologia dal titolo *Parla il Gran Lengua,* a cura di G. BELLINI, Parma, Guanda, 1965, accresciuta nella successiva edizione del 1967.

([24]) Milano, Cisalpino, 1965.

([25]) Alpignano, Tallone, 1973.

([26]) Buenos Aires, Losada, 1965. Ed. italiana bilingue, a cura di A. SEGALA, col titolo *Clarivigilia Primaveral,* Milano, Lerici, 1969 (e ora Milano, Accademia, 1971).

([27]) Buenos Aires, Ariadna, 1957. Il teatro di M.A. ASTURIAS è ora riunito nel volume dal titolo *Teatro* (*Chantaje, Dique seco, Soluna, La Audiencia de Los Confines*), Buenos Aires, Losada, 1954. In italiano cfr. la trad. di *Soluna,* a cura di P. RAIMONDI, « Il Dramma », 380-381, 1968 (poi in *Miguel Angel Asturias,* a cura di P. RAIMONDI, Milano, Club degli Editori, 1973) e *Torotumbo,* a cura di A. SEGALA, « Il Dramma », 7, n.s., 1969.

delle Indie », è riscattata in nome della sua partecipazione attiva e sofferta al dramma americano ([28]).

GIUSEPPE BELLINI

([28]) Per una bibliografia essenziale intorno ad Austrias e alla sua opera cfr.: A.J. CASTELPOGGI, *M.A.A.*, Buenos Aires, Mandrágora, 1961; R. NAVAS RUÍZ, *Literatura y compromiso*, Sao Paulo, Facultad Fisolofía, Ciencias y Letras, 1963; L. HARSS, *M.A.A. o la tierra florida*, in *Los nuestros*, Buenos Aires, Sudamericana, 1966; G. BELLINI, *La narrativa di M.A.A.*, Milano, Cisalpino, 1966; G. DE GENNARO, *I felici tropici di M.A.A., narratore*, « Civiltà Cattolica » 119, 2822, 1968; A. DORFMANN, « *Hombres de maíz* », *el mito como tiempo y palabra*, « Atenea », XLV, CLXVI, 420, 1968; G.W. LORENZ, *M.A.A.*, Berlin, Luchternhand, 1968; VARI, *Homenaje a A.*, « Asomante », 3, 1968; VARI, *Homenaje a M.A.A.*, « Europe », 473, 1968; A. SEGALA, *Introduzione a « Clarivigilia Primaveral »*, Roma, Lerici, 1969; VARI, *Homenaje a A.*, « Revista Iberoamericana », XXXV, 67, 1969; R. CALLAN, *M.A.A.*, New York, Twayne Publishersy Inc., 1970; C. COUFFON, *M.A.A.*, Paris, Seghers, 1970; P.A. GEORCESCU, *Arta narativă a lui M.A.A.*, Bucaresti, Editura Didactică si Pedagogică, 1971; P. RAIMONDI, *M.A.A.*, Milano, Club degli Editori, 1973; G. BELLINI, *Il labirinto magico di « Maladrón »*, in *Il labirinto magico, studi sul « nuovo romanzo » ispano-americano*, Milano, Cisalpino-Goliardica, 1973; VARI, *Miguel Angel Asturias*, « Europe », 53, 553-554, 1975; G. BELLINI, *Il mondo allucinante: « Il Señor Presidente »*, in *Il mondo allucinante, da M.A. Asturias a G. García Márquez, studi sul romanzo ispano-americano della dittatura*, Milano, Cisalpino-Goliardica, 1976.

IL SENTIMENTO TRAGICO DELLA VITA NELL'OPERA DI M.A. ASTURIAS

Arturo Torres-Ríoseco nel saggio *La novela en la América Hispana* osserva: « Intensa è la vita del nostro continente, sempre agitata tra gli istinti primitivi e le norme delle vecchie culture, e poiché il romanzo di oggi affonda le sue radici nella vita, possiede, oltre al suo valore artistico, quello di documento umano imperituro » (1).

Asturias nei suoi romanzi documenta il duplice valore umano e artistico, a cui si riferisce il citato studioso, fino al punto da non potersi concepire un suo libro che sia privo di uno di quei due elementi. Perciò bisogna situare lo scrittore lontano da una concezione dell'arte intesa come artificio, alla maniera dello Sklovsky (2), perché è contenutista anche quando le folate del surrealismo fanno salire nei cieli della poesia i protagonisti dei suoi romanzi. Ma se Asturias non è un formalista, resta tuttavia ancorato a un sistema ben definito, a una struttura precisa degna di essere analizzata. La sua opera d'arte, proprio perché non è una mera organizzazione di semplici elementi significanti, richiede un esame semantico profondo del messaggio poetico che essa racchiude. Senza soffermarci sull'aspetto stilistico, cerchiamo innanzitutto di scoprire il significato dell'opera in prosa.

Conviene dire subito che Asturias è uno scrittore monodico perché afferma una sola cosa: quanto cioè sia grande il suo popolo maya sempre vivo nella terra guatemalteca e quanto competa a questa nobile stirpe la libertà di vivere la sua storia, non in contrasto, ma in armonia con gli altri popoli, malgrado alcuni tentino ancora di opprimerla per mano di *conquistadores* di varia provenienza, non esclusa quella economico-industriale. G. Bellini sottolinea la protesta nell'opera di Asturias (3), ma sarà utile far notare che questa protesta non nasce da irrequietezza ingiustificata né è fine a se stessa. In realtà deriva dal profondo senso della libertà che lo scrittore possiede in modo eminente.

---

(1) A. TORRES-RÍOSECO, *La novela en la América Hispana*, in: « University of California. Publication in Modern Philology », 21 (1939) 159-256; p. 244.

(2) V. SKLOVSKY, *Una teoria della prosa. L'arte come artificio*, Bari, 1966, pp. 181-182.

(3) G. BELLINI, *La protesta nel romanzo ispano-americano del Novecento*, Milano-Varese, 1957; dello stesso, *La narrativa di M. A. Asturias*, ivi, 1966.

Gli ideali del grande condottiero Bolívar, attraverso le pagine di Asturias come di tanti altri scrittori sud-americani, diventano patrimonio comune di tutta l'America latina e preparano il risveglio culturale e sociale a cui essa tende (4).

Il mondo poetico di Asturias prende vigore da queste aspirazioni che hanno il potere di polarizzare attorno a sé il complesso mondo ideale e affettivo, estremamente ricco, dello scrittore. Sta di fatto che egli riesce un grande artista nella misura in cui si sente sud-americano. Partendo da questa costatazione fondamentale egli proietta su scala mitica i protagonisti dei suoi romanzi: gli stregoni portatori di feracità alla terra, gli uomini del mais, il mais stesso, simbolo di fecondità e alimento base degli indios; e, con gli uomini, gli elementi tutti vengono situati in una atmosfera cosmogonica, tra l'ululato dei *coyotes* e il canto degli uccelli *guácharos*. Fuori di questo suo mondo, Asturias, anche quando si prefigge di fare delle critiche sociali o stabilisce di scrivere un romanzo politico, riesce il più delle volte a essere solo un solenne e eloquente difensore dei diritti civili; mentre è grande artista se queste stesse intenzioni politico-sociali le rivive nell'unica antica passione per la libertà culturale americana che tutto trasfigura nel mito...

GIUSEPPE DE GENNARO

(4) « Se lo scrittore è uno dei primi creatori di cultura, è suo dovere vigilare per il rispetto delle libertà fondamentali allo scopo di assicurare la possibilità di questa creazione. Una volta perduta la libertà, l'artista o il pensatore non hanno più ragione di esistere. Vi sono esempi in Europa come quelli di Thomas Mann, Emil Ludwig, García Lorca, Pablo Casals, che dimostrano questa verità; in America basterebbe citare i nomi di Rómulo Gallego, Eloy Blanco, Haya de la Torre [...], Miguel Angel Asturias » (A. Torres-Ríoseco, *El tema de la cultura*, in *La cultura y la literatura ibero-americanas*, Berkeley, Univ. of California, 1957, p. 17).

ESSENZA E FUNZIONE DEL MONDO VEGETALE NELL'UNIVERSO « PRIMITIVO » DI MIGUEL ANGEL ASTURIAS

La presenza costante, nell'opera asturiana, di due diversi piani di realtà — la « primitiva » e la « civilizzata » — continuamente intersecati o contrapposti, per la mentalità occidentale esente da complessi di superiorità diventa fatto problematico nella misura in cui questa aspiri a darsi ragione della loro parallela esistenza. Si vorrebbe capire, in altre parole, *come* possa legittimamente sussistere, accanto al nostro pensiero scientifico, un pensiero magico che sembra operare in maniera antitetica, e *perché* si produca quel senso mitico che, in un certo momento e a determinate condizioni, investe taluni contenuti di una cultura.

Miguel Angel Asturias che pure si dichiarava, con molto candore, biologicamente e spiritualmente meticcio, e che in teoria avrebbe dovuto perciò possedere la chiave della spinosa e non ancora risolta questione, non formula concretamente alcuna ipotesi personale. Se si esclude il romanzo *Hombres de maíz*, dove senza grande rilievo egli propone una soluzione di tipo jungiano, le altre sue opere sono tese soprattutto a mostrare il modo in cui il mito attua, piuttosto che a scoprire la causa per cui esso si origina. È questo il tipico campo della ricerca psicologica, nel quale l'artista si rivela maestro originale: rinunciando a conoscere la vera natura dei fatti, egli di volta in volta si limita a dare infine versioni di una stessa realtà che, interpretata e riflessa in maniera diversa a seconda della mentalità « primitiva » o « civilizzata » di chi l'osserva, finisce col rendere indecifrabile o insignificante il proprio carattere obiettivo ed offrirsi, piuttosto, come inconsueto strumento per lo studio interiore degli uomini.

Ancora una volta troviamo, a tale proposito, gli esempi più interessanti nel mondo vegetale, poiché i miti che vi sono connessi offrono ad Asturias ricchissime (benché non esclusive) possibilità di utilizzazione. Basti pensare soltanto a quante valutazioni diverse si presta il mito del mais. Trasferito in un contesto socio-culturale profondamente diverso dal nostro, quale risulta da *Hombres de maíz*, un atto in sé positivo come può essere la coltivazione industriale del granoturco, si trasforma in maligno principio di corruzione e di morte: il tabù religioso che consente infatti agli « indios » una produzione di cereale appena sufficiente al proprio sostentamento — pena altrimenti la collera perniciosa delle divinità protettrici —, venendo a scontrarsi in modo inconciliabile con gli interessi economici dei « maiceros », determina negli uni la necessità di dover difendere a qualunque costo la propria sopravvivenza, e negli altri il convincimento di poter forzare un consenso apparentemente negato da stolte superstizioni. Una situazione, dunque, che a un primo giudizio di tipo relativistico potrebbe sembrare insolubile. Ma la ferocia inumana con cui i trafficanti di mais realizzano il loro progetto, del tutto censurabile per gli egoistici fini di lucro conseguito sulla pelle di quanti vi si oppongono, non permette a lungo di confondere i carnefici con le vittime; superando anzi l'aspetto contingente della vicenda, si finisce ben presto per associare la figura del « maicero » all'odioso stereotipo del colonizzatore razzista, avido e senza scrupoli, ed elevare di contro l'indio a simbolo universale di tutti gli indigeni perpetuamente straziati nelle carni e nello spirito.

Filtro selettivo della rettitudine umana si fa, in questo caso, proprio la credenza nel mito del mais, trasformatosi in eccezionale garante delle qualità morali dei personaggi nella misura in cui viene da essi autenticamente vissuto. È subito chiaro, infatti, che per gli abitanti di Ilóm fedeli ai valori della propria cultura anche l'azione obiettivamente più raccapricciante si nobilita alla luce di una profonda pietà religiosa che è, oltre tutto, efficace mezzo di coesione sociale. Ma la dimensione etica in cui essi agiscono si capovolge non appena l'indispensabile imperativo morale della fede risulti spento o mancante in assoluto. Così, se i bianchi estranei alla cultura locale si qualificano subito come personaggi luciferini, compatti nella loro totale carenza di sentimenti umanamente positivi, non meno indegni appaiono i loro collaboratori indigeni che, per un erroneo concetto di civiltà, compiono il goffo e mal riuscito tentativo di laicizzare le loro coscienze. Tutti coloro che, in modo più o meno diretto, parteciparono alla feroce strage degli « indios » di Ilóm in nome del mito occidentale del progresso, si convincono presto di aver compiuto un sacrilegio irreparabile che le oscure forze scatenate dalla maledizione dei « brujos de la luciérnagas » non possono lasciare impunito. E l'ulteriore assassinio di questi ultimi, nuovo orribile delitto maturato nella disperazione di chi si sente perduto, non fa che aggiungere più motivate apprensioni a un già allarmante presentimento di vendetta soprannaturale. Credendo perciò di riconoscerla materialmente operante in quello strano avvenimento che è la scomparsa improvvisa di Machojón, non si tarda a inventare intorno alla figura del giovane un mito che, per i responsabili dell'eccidio, diviene la traduzione concreta di inconsci sensi di colpa. Infatti il Signor Tomás, convinto davvero che il figlio sia stato rapito dalle potenze protettrici del mais, finisce pazzo ed economicamente distrutto per aver incendiato ad uno ad uno tutti i suoi « maizales », nella speranza di rivederlo tra le fiamme, trasformato in una massa di faville dorate.

D'altro canto sua moglie, che pure dimostrava di non dare peso alla storia del Machojón d'oro, poiché crede di individuare nel colonnello Chalo Godoy, ideatore dell'avvelenamento degli « indios », il principale responsabile delle sue sventure familiari, giunge a formulargli la minacciosa profezia della « séptima roza », ricordandogli anche che non potrà sfuggire alla maledizione degli stregoni.

Tutt'altro che lontano dal temerla, a dispetto di un'ostentata noncuranza, nell'imboscata del Tembladero verificatasi allo scadere dei sette anni, egli neppure tenterà di fuggire; convinto anzi che in quell'occasione si stia per compiere un destino fatale, preferisce volontariamente anticiparlo con il suicidio.

Ma le conseguenze della vendetta non si fermano a questo, dato che l'estinzione della discendenza era stata decretata per tutti i colpevoli della strage. Ne viene profondamente influenzato, infatti, il padre dello scomparso Machojón se, nel vedere continuamente frustrato l'intenso desiderio di avere degli altri figli, attribuisce la propria incapacità generativa non alla senescenza fisiologica, ma a ben note cause di origine magica. E così pure Benito Ramos, sebbene angustiato dallo stesso problema, agli amici può raccontare di aver abbandonato senza rimpianti la propria donna che stava per diventare madre, e alludere poi ironicamente alla presunta paternità del maggiore Musus, sterile quanto lui per effetto della maledizione, il quale pretendeva di far passare per proprio un figlio necessariamente frutto di adulterio.

Il fatto che questi personaggi si affliggano in segreto per non essere bianchi (ovvero economicamente onnipotenti), e che con affanno meschino e semplicistico tentino di ricalcare il modello di civiltà importato dall'Europa, non è dunque sufficiente a cambiare le mentalità; pur sotto l'influsso disgregante e corruttore di valori culturali « altri », comunque falsi, il mito magico per essi continua a costituire, in modo inconsapevole, la forma più spontanea di pensiero, ma svilita qualitativamente, relitto formale di una religiosità degenerata ormai nella superstizione. E l'intima crisi che li sconvolge dopo i loro crimini, non promossa da alcun principio di pentimento né tanto meno da una riabilitante volontà di espiazione, chiarisce soprattutto la loro sostanziale inautenticità nell'adozione di taluni atteggiamenti occidentali, e non certo i più edificanti, che rivelano non il compiuto processo di acculturazione, bensì un acritico servilismo intellettuale e morale.

È dunque indispensabile un concetto relativistico di bene e di male al fine di comprendere a fondo il criterio in base al quale Miguel Angel Asturias giudica i suoi personaggi: buoni sono, in definitiva, tutti gli indigeni che non hanno rinnegato la propria civiltà — le cui caratteristiche doti di temperanza e di gentilezza vengono in molti punti a coincidere con l'ideale politico-umanitario dello scrittore — e per lo più maligni risultano, invece, i colonizzatori, colpevoli non tanto di aver portato in America Latina i valori di una diversa cultura, quanto di avervi violentemente affermato il più falso e demoniaco fra essi, quello del denaro, che è matrice inequivocabile di ogni perversione della coscienza. Chi infatti agisce in suo nome è inappellabilmente condannato; chi ne rifiuta, al contrario, la logica vessatoria e discriminante viene elevato a paladino della libertà...

ELIDE PITTARELLO

IL LABIRINTO MAGICO DI MIGUEL ANGEL ASTURIAS

La narrativa di Miguel Angel Asturias si aggira continuamente tra il mito e la realtà. Dalle remote *Leyendas de Guatemala* (1930), che entusiasmarono Paul Valéry per il loro carattere di « poemas-sueño-fantasía » [1], alle opere di maggior impegno che seguirono, fino alle più recenti, tale atmosfera si definisce e si chiarisce ulteriormente, passando ora per punte eminenti di fusione mito-realtà, com'è il caso di *Hombres de maíz* (1949), ora cedendo, invece, alle più vive esigenze del reale, in un impeto di denuncia quale si può esservare ne *El Señor Presidente* (1946), nella trilogia « bananera » — *Viento fuerte* (1949), *El Papa verde* (1950), *Los ojos de los enterrados* (1960) — e nell'estremamente sofferto *Week-end en Guatemala* (1956). Ma già ne *Los ojos de los enterrados*, pur così pregno di partecipe rivolta contro la disperata condizione guatemalteca, ricollegandosi ai miti e alle sottese « brujerías » dei due precedenti volumi della trilogia, alle mitologie astrali e al sostrato ora poetico, ora orripilante delle nascoste presenze operanti nell'animo popolare, in *Hombres de maíz*, e dando a tutti questi elementi un rilievo preminente, indicava un'esigenza tormentosa di riaggancio più diretto e totale a un clima mitico e magico dal quale la narrativa di Asturias era scaturita, e con essa tutta la sua opera, dalla poesia al teatro. L'attrazione irresistibile della prima matrice si manifestava attraverso il gioco d'invenzioni di una fervida fantasia creatrice indio-brocca, non tanto ne *El Alhajadito* (1961), che pure rappresenta un significativo punto d'incontro tra il clima del passato — quello delle *Leyendas* — e le pungenti nostalgie del presente, quanto piuttosto in *Mulata de tal* (1963), libro che qualifica per una nota di magia, nuova e antica al tempo stesso, un periodo di rinnovato vigore dello scrittore guatemalteco, in cui la fantasia e la parola si manifestano in esiti del tutto eccezionali.

I libri seguiti a *Mulata de tal* sono fermamente situati nel clima che il romanzo ha inaugurato, ma con un'originalità di fondo che li qualifica anche sul piano del sentimento, come progressiva marcia di avvicinamento alla regione più intima e sentita. Nella poesia, *Clarivi-*

---

(1) P. VALÉRY, prologo alla traduzione francese delle *Leyendas de Gautemala* (1931), ora in edizione spagnola, Buenos Aires, Editorial Pleamar, 1948, p. 9.

gilia primaveral (1965) torna ai temi della civiltà maya e della sua concezione cosmogonica; nel teatro, *Torotumbo* (1969), atto unico tratto dall'omonimo racconto di *Week-end en Guatemala*, pur pregno d'impegno politico e umano, dà risalto al fondo mitico del Guatemala; nella narrativa, le leggende de *El espejo de Lida Sal* (1967) paiono suggellare in modo definitivo l'incontro col mondo mitico e magico meso-americano, in una fusione armoniosa di piani temporali, in cui il passato si attualizza e il presente sfuma i suoi confini in note volutamente vaghe, ripetendo il clima delle origini del mondo.

Le prime pagine del « Pórtico » immettono, programmaticamente, in una dimensione intima e favolosa del mondo guatemalteco, realtà-sogno, sorta di paradiso ancorato stabilmente in regioni valide del sentimento, al disopra del fluire del tempo. I piani della realtà e del sogno si fondono, come già nelle *Leyendas de Guatemala*, ma con vigore creativo che fa tesoro dei raggiungimenti anche di *Mulata de tal*, e che attesta la maturità di Asturias attraverso il lungo arco di tutta la sua creazione artistica.

Sulla prospettiva di « paisajes dormidos », sui quali piove una « Luz de encantamiento y esplendor », spicca il « País verde »:

> « País de los árboles verdes. Valles, colinas, selvas, volcanes, lagos verdes, verdes, bajo el cielo azul sin una mancha. Y todas las combinaciones de los colores florales, frutales y pajareros en el enjambre de las anilinas, Memoria del temblor de la luz. Anexiones de agua y cielo, cielo y tierra. Anexiones. Modificaciones. Hasta el infinito dorado por el sol » (2).

Il contatto col *Popol-Vuh* è di nuovo evidente, ma lo splendore del paradiso terrestre creato dagli dèi progenitori e descritto nel libro sacro dei « quiché » è originalmente accentuato da Asturias, attraverso tinte di luminosa trasparenza, toni caldi di colori sulla gamma verde-oro, che trasformano in materiali preziosi gli elementi della natura, siano essi cose, vegetali, animali, uccelli o rettili. Le metafore e le definizioni di unicità del mondo descritto, sottolineano il carattere magico e irripetibile del Guatemala, paradiso terrestre e celeste al tempo stesso, fusione di realtà e di magia, in un tempo senza tempo. La serie delle notazioni, rese in frasi brevi, tende a sottolineare il valore del dettaglio; le ripetizioni aggettivali, le esclamazioni raccolte, rendono la condizione extra-umana di tale mondo; il rapido succedersi delle serie verbali dà vita interiore intensa a un paesaggio apparentemente addormentato nello splendore della sua bellezza, nel quale, al contrario, ogni cosa vive, ha voce e movimento. Le menzioni di vegetali e di animali, l'allusione ad età geologiche, a uragani celesti,

(2) M. A. Asturias, *El espejo de Lida Sal*, México, Siglo XXI, 1967, p. 3.

la nota policroma degli uccelli, la presenza delle vestigia illustri di una civiltà remota, l'accento posto sui minerali e sulle pietre preziose. che recano in sé la suggestione delle civiltà sepolte, quelle pre-colombiane, delle quali hanno finito per divenire simbolo, accentua il clima magico in cui si confondono le età. Il tempo, indifferenziato ed eterno, domina enigmaticamente il paradiso, nel quale l'uomo torna ad essere la misera creatura che i progenitori fabbricarono per il proprio piacere egoista. Le varie leggende raccolte nel libro non lo smentiscono.

L'opera che segue ai racconti de *El espejo del Lida Sol*, il romanzo *Maladrón* (1969), ribadisce, col clima di magia, la portata del richiamo che su Asturias esercita una ben individuata regione spirituale, quella del mondo pre-colombiano, ma con incidenze continue nel presente, per la portata delle conclusioni. Il ritorno decisivo e ormai disarmato al mito, se da una parte supera gli accenti di crudo realismo denunciatario, non fa tacere nello scrittore il fondamentale impegno, che è poi espressione logica della sua moralità. In *Maladrón* il peso della realtà è sempre meno ingombrante: essa appare sfumata nell'invenzione fantastica, ma non per questo meno presente. Il tempo dell'azione è quello remoto della fine del mondo indigeno maya-quiché e della conquista spagnola, ma le implicazioni di tale fatto appaiono assai attuali. Se nelle *Leyendas* Asturias aveva inteso ricreare il composito mondo indo-ispanico del Guatemala, librato tra l'epoca della conquista e il tempo attuale, in una sorta di radiografia intima della complessa anima della sua gente, e, a distanza di tempo, in *Mulata de tal*, accentuando i caratteri barocchi e magici di *Hombres de maíz*, aveva fissato le peculiarità e i conflitti di un universo che vedeva sul punto di soccombere e di scomparire di fronte all'avvento della civiltà meccanizzata, in *Maladrón* risuscita il clima di tragedia in cui il paradiso indigeno soccombe di fronte alle forze ispaniche, ma contemplando anche la tragica e poetica pazzia del nuovo venuto, che lo muove lungo i sorprendenti cammini del mondo conquistato, alla vana ricerca di realizzazione dei suggestivi miraggi nei quali improvvisamente, e con cieca tenacia, ha creduto.

Le intenzioni dello scrittore sono chiaramente denunciate nel sottotitolo del libro, « Epopeya de los Andes Verdes ». Il clima de *El espejo de Lida Sal* ha continuità immediata, ma il « País verde » è visto non più come paradiso magico solamente, bensì col rimpianto e la nota di sofferta tragedia del paradiso perduto, distrutto nella sua intatta purezza dall'avvento di « seres de injuria », gli spagnoli conquistatori, venuti da « otro planeta » a sconvolgere la pace di un « mundo de golosina », popolato di genti tranquille, di « venados » e di « pavos azules ». Un mondo mitico e magico, situato in un tempo remoto, con tutti i richiami suggestivi del bene scomparso.

Come sempre, nei romanzi di Asturias occorre fare attenzione alle epigrafi. In quella che precede le prime pagine di *Maladrón* è riassunto il clima spirituale in cui si svolge l'indagine dello scrittore. Ciò che a prima vista sembrerebbe non del tutto esatto è il sottotitolo del romanzo, « Epopeya de los Andes Verdes », poiché tale epopea occupa solamente i primi sette capitoli del libro, per un totale di 49 pagine sulle 217 che costituiscono l'edizione bonaerense. Il romanzo parrebbe, perciò, soffrire di un certo squilibrio, in quanto si presenta come formato da due parti non dichiarate, di dimensione diversa e di diversa intenzione: nella prima, la più breve, prende consistenza la epopea del popolo Mam; nella seconda, la parte maggiore, è narrata l'odissea di alcuni spagnoli che inseguono il sogno di scoprire la congiunzione degli oceani, uno dei tanti miti che affascinarono e mossero i conquistatori. Un taglio così netto tra le due parti del libro non giova alla sua unità, che avrebbe potuto essere maggiore se Asturias avesse lasciato da parte li sottotitolo. Benché, in fin dei conti, anche questo sia un particolare abbastanza trascurabile, che *Maladrón* fa dimenticare agevolmente. Che di epopea si tratti è evidente: dapprima l'epopea dei vinti, che sfocia in tragedia, quindi quella di alcuni animosi spagnoli, la cui fine assume anch'essa i colori della tragedia.

La struttura di *Maladrón* rivela un'elaborazione che conduce a risultati frequenti di particolare valore nell'ordine di vari motivi, che vanno dalle descrizioni paesaggistiche allo studio della tragedia umana, alla nota di compiaciuto umorismo. Il valore del romanzo sta soprattutto nell'originalità e nella genuinità con cui, nei numerosi dialoghi dei protagonisti ispanici e di Zaduc, adoratore del « Maladrón », viene ricreato l'idioma castigliano del tempo della Canquista, al quale si aggiungono l'esperienza e la felicità creativa di un dominatore consumato della lingua, artefice eccezionale, che si diletta del neologismo e dell'aggettivazione inedita. Inserito nella prosa di Asturias, di così particolare segno evocativo e poematico, il castigliano del secolo XVI non costituisce una stonatura. Lo scrittore lo vivifica, infatti, costantemente, con l'apporto della propria invenzione, facendolo straripare dal dialogo ai brani descrittivi, agli interventi personali, liberandolo da ogni sapore archeologico. Lo scrittore stesso ha sottolineato, in una conversazione, il valore particolare del libro in questo senso, come apporto di stile e soprattutto di lingua. Egli ha denunciato addirittura l'abuso idiomatico che commette, versando nelle pagine di *Maladrón* tutto lo spagnolo che conosce, arricchito d'indigenismi, di arcaismi, in una reazione decisiva al movimento di impoverimento della lingua — così si è espresso —, ora in auge nell'America latina. Perciò l'« uso y abuso del idioma con toda la mano y toda la manga larga ». A questo reca un contributo determinante la lezione dei grandi prosatori ispanici, di Quevedo, ma particolarmente di Cervantes, dal quale Asturias afferma di aver appreso ad aggettivare e che proclama « el genio que ha logrado colocar los adjetivos mejores », facendo speciale riferimento all'insuperabile esempio della lettera a Dulcinea. Agli scrittori del « Siglo de Oro » riconosce di essere debitore per la « lujuria », la « magia » della lingua, ma non minore è il suo debito verso taluni esponenti della « Generazione del '98 », Baroja in particolare, « que nos da esa idea anárquica de la lengua ». Al mondo indigeno risale, tuttavia, il barocchismo che si manifesta in tutta l'opera di Asturias — « si yo tengo algún barroco es por esa forma indígena » —, come talune peculiarità stilistiche, che si concretano nel parallelismo, nella moltiplicazione sillabica, nell'allusione, in quel dire le cose come per sotterfugi — « nada dice directamente el indígena, sino a través de subterfugios » —. La struttura stessa di *Maladrón*, nel succedersi dei brevi capitoli di cui si compone, nell'aprirsi sulla descrizione di un mondo fuor del comune, si ricollega alla forma e al clima dei testi sacri maya-quiché, ma con un accento che già preannuncia, nel destino autunnale della natura, la fine di un mondo:

> « Al final del verano, entre la tempestad de hojas secas que el viento del Norte arrebata, muele contra las piedras y reduce a polvo [...], cada hoja sedienta se enrolla sobre el pedúnculo para pincharse y morir; al final del verano, entre la pavesa del sol y la tostadura de la helada, campos y monte marchitos devorándose en la perspectiva de ocres, jaldes, amarillos, parduzcos [...] » (3).

Nonostante permanga, sull'inaridire della natura, il verdeggiare eterno della cordigliera — « al final del verano sólo queda verde la gran cordillera flotante como nube sembrada de aéreos pinos, cipreses voladores y cumbres de cuya excelsitud no dan cuenta nieves eternas [...] » (4) — la visione è di un mondo in agonia. Nella situazione della natura si riflette quella di tutto il popolo Mam, nello scontro con gli spagnoli. Si è parlato, per *Maladrón*, di un « espécimen indiano de dudosa ortodoxia », che verrebbe a continuare, dopo venti secoli scarsi, nell'epica occidentale i poemi omerici, o che almeno in qualche modo si ribella ai « moldes consagrados » di genere e di personaggi (5), ma non sembra il caso di ricorrere a parentele così remote e dubbie. *Maladrón* è, nella sua prima parte, epopea ed elegia,

---

(3) M. A. ASTURIAS, *Maladrón*, Buenos Aires, Losada, 1969, p. 9.
(4) *Ivi.*
(5) M. I. SIRACUSA, recensione a *Maladrón*, in « Sur », 320, 1969, p. 93.

al tempo stesso, del popolo indigeno, in impari guerra contro l'invasore. Lo splendore del mondo di « golosina » sottolinea nel suo tramonto i tratti più caratteristici della tragedia, che è soprattutto tragedia di uomini, di fronte a un mondo esterno e incomprensibile. In questo, Miguel Angel Asturias si ricollega al clima che domina le predizioni sacre dell'area « náhuatl », alla concezione ciclica del mondo, per la quale l'avvento di ogni nuova età avviene sull'estinzione violenta di quella che l'ha preceduta. Lo scontro tra gli spagnoli invasori e gli indigeni rappresenta concretamente questo momento critico. La crisi si manifesta soprattutto al vertice, tra chi è qualificato a interpretare la storia e il destino del popolo indio. La guerra è tra due mondi diversi, un « Choque de Dioses, mitos y sabidurías » ([6]); non guerra di religione, bensí di magie ([7]). Senonché la concezione magica ha già perduto la sua suggestione presso il « Mam de los Mames »; egli percepisce esattamente che lo scontro è tra una tecnica e mezzi evoluti e una concezione elementare della guerra, superata e non più valida. Caibilbalán ripudia, perciò, la magia, come ripudia la guerriglia, avendo una concezione evoluta — sempre sottolineata da Asturias — di uno Stato civile ([8]). Sulla tragedia del popolo indio, sulla distruzione del mondo meraviglioso, « nube terrenal en que nace el maíz » ([9]), sugli orrori della guerra e il sacrificio degli indigeni, che si lanciano sui ferri nemici per arrestare la distruzione del loro popolo ([10]), domina la natura amletica di Caibilbalán. La sua sfiducia nella magia è sfiducia negli dèi: « El Señor de los Andes Verdes lleva y trae sobresus hombros, la noche entera, el peso de sus dudas » ([11]). Sono questi dubbi a perderlo; le sconfitte del suo popolo gli saranno imputate ed egli verrà deposto, retrocesso a semplice « taltuza » e confinato nel « País del Lacandón y el mono », un mondo senza tempo, come esiliarlo in un altro pianeta.

Caibilbalán è un eroe sfortunato e già vinto prima della sconfitta materiale. Egli rappresenta un momento nuovo nel mondo indigeno e si perde proprio per la sua capacità razionale. In lui Asturias intende rappresentare la perdita fatale della sua gente. Le grandi masse che si muovono nella guerra, indie e spagnole, sono sfondo idoneo, — ricco di luci e di ombre, avvolto nelle fantasmagorie del mito e nei dati magicamente trasformati della realtà — su cui prende risalto la sua natura complessa e intimamente tormentata, la sua categoria eroica. Lo scrittore rende tale complessità disperdendo i

---

([6]) M. A. Asturias, *Maladrón,* op. cit., p. 10.
([7]) *Ivi,* p. 13.
([8]) Cfr. *Ivi,* p. 16.
([9]) *Ivi,* p. 11.
([10]) Cfr. cap. IV.
([11]) *Ivi,* p. 21.

dati della sua preoccupazione e del dubbio lungo vari capitoli, fino alla condanna finale. In mezzo stanno i grandi « murales » dove tutto si mescola, uomini e animali, vegetali e cose, realtà e irrealtà. Il risultato è la creazione di un ambiente magico i cui colori, caldi o sfumati, restano inconfondibili nella narrativa ispano-americana.

GIUSEPPE BELLINI

NOTE E RIFLESSIONI SU ASTURIAS:

DAL « REALISMO MAGICO » ALLA MAGIA DELLA REALTA'

Intorno al 1925, il critico d'arte Franz Roh coniò l'espressione « realismo magico » per qualificare la produzione pittorica post-espressionista. La ragione dell'aggettivazione « magique », o « mistique », fu spiegata come necessità di chiarire che il mistero non si cela nel mondo fenomenico, ma si nasconde e palpita dietro di esso.

L'espressione di Franz Roh rimbalzò nella letteratura trovando negli scrittori ispano-americani gli autori che, per quel particolare rapporto uomo-natura che è alla base delle loro opere, più congenialmente l'hanno impiegata. Primo fra questi fu il venezolano Arturo Uslar Pietri, il quale la commentò in *Letras y hombres de Venezuela* (1948) per applicarla a una certa tendenza della narrativa latino-americana che, in antitesi e nel mezzo dei « dannati realisti », vedeva l'uomo come mistero. Per Uslar Pietri si trattava soprattutto di una divinazione poetica, o, all'inverso, di una negazione poetica della realtà.

Qualche anno dopo, il cubano Alejo Carpentier dava all'espressione il significato di « rivelazione privilegiata della realtà », una illuminazione che premiava il *raptus* poetico schiudendolo sulle insospettate, e inusitate, ricchezze della realtà [1].

I due scrittori ispano-americani avevano formulato le loro definizioni prendendo l'avvio dalle suggestioni intellettuali del cosmopolitismo surrealista di scuola parigina. Con le loro teorie, essi spingevano l'indagine sulla creazione poetica oltre la parvenza del reale e, affermando che la bellezza artistica non è necessariamente in rapporto con la bellezza naturale, svolgevano implicitamente il discorso del « creazionismo » di Vicente Huidobro, secondo cui il valore estetico della poesia non si fonda sulla memoria o sull'evocazione comparatistica e metaforica di cose in sé belle: la poesia è bella in sé e non ammette termini di paragone.

Come narratore, però, Uslar Pietri rivela legami e problematiche non precisamente ricollegabili ai fili di questo discorso. Le sue due

---

[1] Cf. il Prologo a *El reino de este mundo*, pubblicato nel 1949.

maggiori opere prendono spunto da avvenimenti storici ed affidano la propria trama stilistica ad immagini ed episodi che non seguono di per sé una logica razionale e che, precisamente per questo, si pongono come interrogativi inquietanti sui conflitti sociali e culturali connessi con la storia politica e sociale dell'America latina ([2]).

Più aderenti allo spirito del surrealismo reverdyano che al creazionismo alla Huidobro appaiono i romanzi di Alejo Carpentier, per il quale, in ultima analisi, gli elementi prescelti alla costituzione dell'opera vengono scomposti e idealmente trasformati e ricomposti in un allucinato mosaico di immagini sensoriali ([3]).

Meno intellettualistica è la motivazione con cui si suole correntemente qualificare di « realismo magico » l'insieme della produzione letteraria di Miguel Angel Asturias: il suo realismo sarebbe magico semplicemente perché rivela un po' di sogno, tal come nelle linee programmatiche del surrealismo e così come affiora nelle pagine dei testi religiosi dei maya. Leggendo quei testi, raccontava lo stesso Asturias, egli si era reso conto del fatto che esiste una realtà tangibile sopra la quale si innesta un'altra realtà creata dalla immaginazione, una realtà che, a sua volta, si arricchisce di tanti particolari da apparire senz'altro come reale anch'essa. Anche per Asturias, comunque, l'esperienza del surrealismo è alla base della sua formazione ideologica e letteraria; ne è prova una lettura della sua tesi di laurea, che, essendo a monte di quella esperienza, costituisce una importante testimonianza sugli indirizzi degli studi giovanili ([4]). Quella tesi, se per un verso contiene una denuncia delle condizioni di vita degli indios guatemaltechi, dal punto di vista stilistico nulla annuncia di ciò che saranno le opere della maturità. Da queste ultime vanno escluse le

---

([2]) *Las lanzas coloradas* (1931), ottimo esempio di romanzo realista, rassegna materiali storici per analizzare criticamente uno stato sociale e svolgere una tesi. Il protagonista del romanzo, Simón Bolívar, non appare mai direttamente sulla scena, ma di esso si avverte costantemente la presenza trasferita nel timore e nella venerazione dei vari personaggi per la figura dell'eroe fautore della patria. Le altre figure del romanzo s'immergono e sfumano nella massa, e le lance dei capitani a malapena si distinguono nel fulgore delle armi insanguinate dei combattenti: moto e azione di masse che, nei modi stilistici dell'impressionismo, danno luogo a sinistre macchie evocatrici dell'immane tragedia della guerra. La novità stilistica valse soprattutto a sfumare le tesi protestatarie in una prosa che molto concede alle immagini scaturite dal subcosciente, ma che altrettanto cura gli aspetti formali della logica sintattica. Anche nell'altro romanzo al quale abbiamo alluso, *El camino de El Dorado* (1947), biografia romanzata del diabolico conquistatore Lope de Aguirre, la caratteristica novatrice è nel tono poetico, atto a suggerire per immagini — spoglio com'è di ogni abito etico o puramente descrittivo — i valori umani regolati dalla logica razionale.

([3]) Ci riferiamo a *Ecué Yamba - O* (1931), che è una ricerca dell'essenza spirituale, o magica, dei negri cubani, a *El reino de este mundo* (già cit.), a *Los pasos perdidos* (1953) e ai racconti di *Guerra en el tiempo* (1958).

([4]) Ha per titolo *El problema social del indio* ed è stata pubblicata a Parigi nel 1971.

pur bellissime *Leyendas de Guatemala* (1930), le quali rappresentano un riuscito tentativo di reviviscenza fiabistica della mitologia maya, ma non si innestano e tanto meno si fondono col contesto etnico della storia presente.

Sono note le amicizie europee di Asturias. In Francia egli ebbe rapporti con i maggiori esponenti dei fermenti culturali degli anni venti. Alla rivista « Imán », da lui fondata insieme a Carpentier, collaborarono Valéry, Aragon, Desnos, Breton, Péret e Tzara. In questo contesto culturale, ma nella piena autonomia personale, andarono maturando ed affinandosi le qualità artistiche del grande scrittore. Il suo gusto per le immagini plastiche e sensoriali ricorda lo stile non concettualista, non modernista né simbolista di Pierre Reverdy (5) e di Robert Lee Frost (6). Per questi, il valore dell'immagine non è dovuto tanto alle scelte lessicali e sintattiche quanto al godimento. e alla sorpresa che la sua novità è in grado di produrre. Ma se l'immagine di Reverdy è una pura creazione dell'intelletto che esclude o elude l'emozione di tipo umano, non altrettanto si può dire per quella di Asturias, nel quale, mediante l'ampio ricorso al traslato, i sentimenti dell'autore riflessi nei personaggi sono costantemente calati nella realtà oggettiva. Il procedimento determina un'impressione di spersonalizzazione dell'io-autore, il quale, occultando ogni traccia di partecipazione affettiva ai moti dell'io oggettivo, attua con una indecifrabilità che sottrae al lettore gli elementi del palpito riflesso: quegli elementi che, in ultima analisi, offrirebbero al lettore il pretesto per un giudizio etico sommario, inutile e dannoso in quanto inevitabilmente classificatorio e schematistico della complessità della personalità umana e letteraria.

Alle linee programmatiche dell'estetica di André Breton, Asturias risponde con una più vasta gamma di realizzazioni espressive. Le immagini poetiche, che costituiscono in fondo la nervatura stilistica della prosa e della poesia dell'autore guatemalteco, si fondano in gran parte sulla eliminazione dei nessi sintattici della comparazione, secondo un procedimento caratteristico, sul piano teorico, del fluire automatico dell'immaginazione dai recessi del subcosciente. Ma quella necessità di analisi interpretativa, necessariamente propedeutica alla lettura dei primi surrealisti, nei quali la mancanza di chiarezza era frutto di un programmatico rifugiarsi nella dimensione onirica, in Asturias è richiesta da un tipo di nebulosità creata con elementi

---

(5) Ci riferiamo soprattutto alle raccolte degli anni 1928-31 (*Banalité, Vulturne, Epaisseur, D'après Paris*) e a *Haute Solitude* (1941).

(6) Le poesie complete (*The Complete Poems of R.F.*) sono state pubblicate a New York nel 1951 e hanno avuto varie ristampe.

puramente lessicali; l'immagine asturiana è una descrizione metaforica alla cui formulazione ed articolazione concorrono tutti i sensi: essa nasce dall'uso di particolari valori semantici applicati a determinati campi lessicali, è rigidamente guidata dall'intelligenza e ha come risultato significati lucidamente preordinati:

> « Vivo, alto, la cara de barro limón, el pelo de nige lustroso, los dientes de coco granudos, blancos, la camisa y calzón pegados al cuerpo, destilando mazorcas líquidas de lluvia lodosa, algas y hojas, apareció con el alba el Gaspar Ilom, superior a la muerte, superior al veneno, pero sus hombres habían sido sorprendidos y aniquilados por la montada » (7).

Le prime tre metafore contenute nel periodo — « la cara de barro limón », « el pelo de nige lustroso », « los dientes de coco granudos, blancos », — sottintendono il nesso comparativo, ma sono costruite mediante associazioni lessicali semanticamente conformi alla logica della descrizione e, col ricorso al senso della vista e ai valori coloristici, sono strettamente funzionali alle esigenze dell'espressione: l'effetto è di una spiccata plasticità pittorica. Nella successiva immagine — « destilando mazorcas líquidas de lluvia lodosa », — il sintagma metaforico « mazorcas líquidas » sostituisce termini più genericamente descrittivi — *gotas, regueros,* ecc. — conferendo al contesto una connotazione particolare — quella della sacralità del mais — che il termine alternativo non avrebbe potuto significare. La metafora assume così un valore epistemologico e concettuale molto più sviluppato di quanto lo scrittore avrebbe potuto ottenere col termine generico. Ne deriva che il traslato, ponendosi come nuovo « termine proprio », provoca una neutralizzazione, un sincretismo lessicale, che, fondandosi su una concreta necessità funzionale, esalta la potenzialità espressiva del costrutto prescelto (8).

In Asturias, l'autenticità si basa principalmente su un abile gioco di perenne rinnovamento della costruzione sintattica e lessicale. Di tale capacità creativa è prova il confronto tra la seconda parte del periodo preso in analisi — « destilando mazorcas líquidas de lluvia lodosa... » — e un passo che precede di qualche pagina:

> « Sobre el techo del Cabildo tronaba el aguacero, como el lamento de todos los maiceros muertos por los indios, cadáveres de tinieblas que dejaban caer del cielo fanegas de maíz en lluvia torrencial que no ahogaba el sonido de la marimba » (9).

---

(7) *Hombres de maíz,* Buenos Aires, Losada, V. ed., 1967, p. 23.

(8) Sull'impiego metodologico dei termini di identificazione qui accennati, cf. T. PAVEL, *Notes pour une description structurale de la métaphore poétique,* in « Cahiers de linguistique théorique et appliquée », Bucarest 1962, I, pp. 185-207.

(9) *Hombres de maíz,* ed. cit., p. 18.

Gli effetti poetici, pur diversi nel tono, sono imperniati su concetti di equivalenza semantica (*mazorcas* = *maíz*); inoltre, in entrambi i casi operano gli stessi elementi di fondo: *lluvia* = *lluvia; muerte, hombres... aniquilados* = *muertos, cadávedes.* Ma ciò, più che un sistema di iterazioni o di analogie nei tropi asturiani, delinea una frequentazione tematica di una serie di immagini che vengono di volta in volta semiologicamente rinnovate...

GIOVANNI BATTISTA DE CESARE

IL MONDO ALLUCINANTE: "EL SEÑOR PRESIDENTE"

L'azione de *El Señor Presidente* si svolge in un breve numero di giorni, ma con una proiezione immediata in un tempo indifferenziato ed eterno. Introdotto da un'epigrafe tratta dal *Popol-Vuh*, nella quale è riassunto il significato del romanzo — « entonces se sacrificó a todas las tribus ante su rostro »[1]—, il libro si divide in tre parti e termina con un breve « Epilogo ». Apre la prima di queste parti una datazione, «21, 22 y 23 de abril » — l'anno non ha importanza nella storia di un sistema che continuamente si ripete, anzi è utilmente eliminato —, e si compone di undici capitoli, per un totale di 70 pagine, sulle 267 del testo da me eseguito. La seconda parte è continuazione cronologica della prima, « 24, 25, 26 y 27 de abril », e va dal capitolo XII al XXVII, 16 capitoli, per 109 pagine. La terza e ultima parte prospetta l'alluso tempo indifferenziato ed eterno, attraverso una significativa indicazione d'apertura, « Semanas, mese, años... », e si estende dal capitolo XXVIII al XLI, 14 capitoletti, questa volta, per 78 pagine[2].

In altra occasione ho sottolineato che nel romanzo i grandi protagonisti sono la prigione e il tempo. La condizione umana, infatti, si determina in un regime di oppressione che non prevede fine. Richiamerò l'osservazione di Ricardo Navas Ruíz, per il quale non v'è dubbio che,

---

(1) M.A. ASTURIAS, *El Señor Presidente*, Buenos Aires, Losada, 1949, p. 7.

(2) Il testo reca alla fine anche un « Vocabulario », dalla p. 269 alla p. 276.

essendo la dittatura il tema del romanzo, poiché di essa è protagonista il tempo, esso lo è anche del *Señor Presidente*, in quanto apre o chiude la via alla speranza, virtù essenzialmente temporale, dominante in ogni regime dispotico[3]. La democrazia non conosce, infatti, questa virtù; la speranza si esercita, in regimi di oppressione, nell'anelito alla libertà da parte degli oppressi, e ugualmente nell'ansia di permanenza da parte degli oppressori, di desiderio di eternità.

Secondo il Menton, che si è occupato ampiamente del tempo nel romanzo di cui trattiamo, l'idea di tempo immobile ed eterno è propria del cubismo, di moda tra il 1920 e il 1930 in Europa, epoca appunto in cui Asturias si trovava a Parigi e scriveva il suo libro[4]. È attraverso questo progredire temporale, che ristagna nella terza parte del romanzo, e ricorrendo ad abilissimi agganci e richiami a fatti e a persone, che si qualifica ne *El Señor Presidente* una struttura nuova del romanzo, assai complessa, quella che ha fatto scrivere a un esegeta di Miguel Angel Asturias, che il libro è risultato « una verdadera joya arquitectónica »[5]. Il Sacoto sottolinea, infatti, il « simultaneismo » e l'unità del libro, ottenuta attraverso diversi artifici tecnici, come le allusioni molteplici, la concatenazione di vari episodi con altri precedenti, i « retrocesos *flash backs* », i monologhi « Stream of consciousness »; e ancora l'equilibrio dei personaggi nel loro mondo di « ficción », ossia la capacità di convincere e di conservare il loro carattere attraverso lo svolgimento di tutta la trama[6]. Il critico citato pone in rilievo, inoltre, il parallelismo tra la prima e la seconda parte, l'introduzione di nuovi temi, la ripetizione del « *leit motiv* », l'unità strutturale presentata da alcuni

---

[3] R. Navas Ruíz, *Tiempo y palabra en « El Señor Presidente »*, in *Literatura y compromiso*, São Paulo, Universidad de São Paulo, 1963, p. 100.

[4] S. Menton, *Historia crítica de la novela guatemalteca*, Guatemala, Editorial Universitaria, 1960, pp. 208-210.

[5] A. Sacoto, *De las modernas técnicas novelísticas en « El Señor Presidente »*, « Cuadernos Americanos », XXXIII, 2, 1974, p. 226.

[6] *Ivi.*

capitoli[7], particolare quest'ultimo già osservato dal Menton quando affermava che ognuno di essi era un'unità artistica in sé e che spesso il capitolo si chiudeva « en un marco cronológico, comenzando durante la noche y terminando con el amanecer », e ancora che diversi di questi capitoli si rafforzavano internamente attraverso la « repetición sinfónica del mismo *leit motiv* » [8].

El Señor Presidente è, quindi, un libro di rigorosa costruzione e di evidente novità anche alla luce del « nuovo romanzo ». Il suo carattere, in questo senso, di novità, si è affermato, a distanza di tempo, tra i critici più attenti e obiettivi. E ciò nonostante che apologisti ed esegeti di scrittori come García Márquez, Vargas Lloga, Cortázar o Fuentes tendano a dimenticare disinvoltamente la parte che Miguel Angel Asturias ha come precursore nel rinnovamento della narrativa ispano-americana, e che ancor più si afferma nel 1949, con *Hombres de maíz*, inaugurando il « realismo magico ». Come, del resto, è volutamente ignorata, anche dal Fuentes, pur così attento alla storia della narrativa americana[9], la funzione innovatrice di un altro grande narratore, il cubano Alejo Carpentier [10].

Ma *El Señor Presidente* non ha una determinante importanza nell'ambito della narrativa americana solo per le innovazioni tecniche e formali. La novità e la perfezione della sua struttura sottolineano ancor più l'adesione sofferta al dramma americano. Il clima lugubre, nerissimo, che domina la vita di un paese nettamente identificabile come americano è frutto del sovvertimento di ogni valore morale, della violenza fisica e spirituale, del prepotere in contrasto con la libertà. In questo clima la vita diviene un'equazione inquietante, la cui soluzione sta solamente

---

(7) *Ivi*, p. 227.

(8) S. MENTON, *op. cit.*, p. 210.

(9) Cfr.: C. FUENTES, *La nueva novela hispanoamericana*, México, Mortiz, 1969.

(10) Scrive M. DE LA SELVA, in *Con pretexto de « El recurso del método »*, « Cuadernos Americanos », XXXIII, 1, 1974, p. 227, che Alejo Carpentier « al aludir al famoso *boom* de novelistas latinoamericanos como algo efímero, afirma que se siente contento de que quienes han hablado del *boom* lo han "dejado fuera de ese brote, de ese yacimiento de petróleo surgido repentinamente" ».

nella morte. Il sillogismo denunciato da Asturias come misura costante dell'esistere, per un popolo oppresso, è significativo:

« [...] vivir, lo que se llama vivir, que no es este estarse repitiendo a toda hora: pienso con la cabeza del Señor Presidente, luego existo, pienso con la cabeza del Señor Presidente, luego existo »(11).

Il dramma diviene più acuto allorché si apprende che è lo stesso Cara de Angel, ex-favorito del dittatore, a denunciare la situazione, il regime di terrore, del quale fino a poco tempo prima era stato anch'egli parte attiva. Con straordinaria perizia e con quel dono della lingua, dell'onomatopea, che la generalità della critica ha riconosciuto ad Asturias, straordinario forgiatore di vocaboli, lo scrittore immette il lettore nell'inferno della dittatura. È l'onomatopea che dà consistenza al mondo d'incubo surreale de *El Señor Presidente*, fin dalle prime pagine:

« ... ¡Alumbra, lumbre de alumbre, Luzbel de piedralumbre! Como zumbido de oídos persistía el rumor de las campanas a la oración, maldoblestar de la luz en la sombra, de la sombra en la luz. ¡Alumbra, lumbre de alumbre, Luzbel de piedralumbre, sobre la podredumbre! ¡Alumbra, lumbre de alumbre sobre la podredumbre, Luzbel de piedralumbre! ¡Alumbra, alumbra, lumbre de alumbre... alumbre... alumbra... alumbra, lumbre de alumbre... alumbre... alumbra... alumbra, lumbre de alumbre... alumbra... alumbra!... »(12).

---

(11) M.A. Asturias, *El Señor Presidente*, op. cit., p. 244.

(12) *Ivi*, p. 11. È interessante notare come M.A. Asturias indichi per il suo inizio de *El Señor Presidente* un punto d'incontro con *¡Ecué-Yamba-O!*, il primo romanzo di Alejo Carpentier. Lo riferisce Otto-Raúl Gonzáles in *Miguel Angel Asturias, El Gran Lengua*, « Cuadernos Americanos », XXXIII, 5, 1974, p. 94. Trascrivo le parole dello scrittore guatemalteco citate nell'articolo: « Recuerdo que Alejo Carpentier escribía entonces una novela de la que sólo algunos capítulos se publicaron. no sé si se publicó entera en una revista que se llamó IMAN, que se llamaba ECUEYAMBAO. La novela empezaba más o menos así: "Ecueyambaó, retumban las tumbas en casa de Acué; yambaó, yambaó, en casa de Acué, retumban las tumbas, retumban las tumbas en casa de Acué". Es un poco el "¡Alumbra, lumbre de alumbre, Luzbel de piedralumbre!" de *El Señor Presidente.* Esa cosa: nosotros teníamos la preocupación por el sonido de las palabras en esos momentos ».

Il grande affresco della situazione guatemalteca, e per estensione continentale, si apre con la lugubre scena, davvero infernale, della tortura, preceduta dalla presentazione di un infra-mondo di mendicanti e di esseri fisicamente avariati, tra essi un deficiente, il Pelele, del quale risuona raccapricciante la risata, la « cár-cár- cár-cár-carcajada »([13]). Ad ogni alba la città sembra sottolineare, in tutta la sua estensione, la dimensione angosciosa del dramma: « La ciudad grande, inmensamente grande para su fatiga, se fue haciendo pequeña para su congoja » ([14]).

Arrestati i mendicanti, e sottoposti a tormento, perché denuncino quali colpevoli dell'assassinio di un colonnello due individui invisi al dittatore, essi divengono gli abitanti infelici di un mondo lugubre, la prigione, simbolo costante della dittatura. Si tratta di una « zahurda » come quelle dei *Sueños* — non si dimentichi l'attaccamento di Asturias a Quevedo —, ma con una nota più dura di raccapriccio. I compagni del Mosco — rinchiuso in una « bartolina » strettissima, con un accompagnamento di « palabrotas » dei carcerieri « hediondos a ropa húmeda y a chenca »([15])— piangono « como animales con moquillo », tormentati dall'oscurità, « que sentían que no se les iba a despegar más de los ojos »([16]), presi dal terrore di trovarsi in un luogo di morte — « estaban allí donde tantos y tantos habían padecido hambre y sed hasta la muerte »([17])—, timorosi « que los fueran a hacer jabón de coche, como a los chuchos », o che li impiccassero « para dar de comer a la policía »([18]). Le facce degli aguzzini sono presentate con caratteristiche demoniache e bestiali: « Las caras de los antropófagos iluminadas como nalgas, los bigotes como babas de chocolate... »([19]) . . .

GIUSEPPE BELLINI

([13]) M.A. ASTURIAS, *El Señor Presidente*, op. cit., p. 13.
([14]) *Ivi*, p. 14.
([15]) *Ivi*, pp. 16-17.
([16]) *Ivi*, p. 17.
([17]) *Ivi*.
([18]) *Ivi*.
([19]) *Ivi*.

UNITA' ED EPISODICITA' DI « HOMBRES DE MAÍZ »
CONTRIBUTO AD UNA ANALISI DEL ROMANZO DI ASTURIAS

Analizzare tutti i problemi letterari, stilistici, linguistici; le implicazioni umane e sociali; gli aspetti tecnici e strutturali di un'opera sorprendente e per certi versi sconcertante qual è *Hombres de maíz* di M.A. Asturias non è fatica lieve. Né è possibile collocare l'opera sul piano degli sperimentalismi letterari tanto di moda negli ultimi decenni specialmente nell'America Latina. Anzi, da questa America delle sperimentazioni ardite, così intellettualisticamente europeizzata, è assai lontana l'opera di Asturias nel suo complesso. E ne è lontana precisamente perché essa è specchio policromo nient'affatto mistificato delle genuine voci della natura guatemalteca. Voci profonde d'un paesaggio che non fa da retroscena, ma che vive di vita dionisiaca e s'impone a protagonista della narrazione. Una narrazione, cioè, in cui la corrispondenza tra gli esseri umani e i molteplici altri elementi della natura — animali e piante, sapori e odori, colori e suoni, acqua e aria — si fa così intima da sviare, a volte, chi vi pretenda di scorgere intendimenti extra-letterari. E a questo punto è il caso di accennare al significato e ai valori che il termine letteratura assume nello scrittore guatemalteco. Significato e valori che evidentemente scaturiscono dal contrappunto tra il comportamento umano e politico dell'uomo e la finalità della sua opera: una sostanziale condanna del sopruso, dell'ingiustizia che ci fa vittime di questa società, alla quale lo scrittore contrappone paradossalmente, mediandoli coi toni favolistici del suo dettato lirico, i valori umani e religiosi di una civiltà vinta e relegata in una pagina remota della storia.

Ma veniamo alla organizzazione del materiale narrato, il cui nucleo è quasi impossibile, per altro, ridurre a schema, ma del quale è utile, forse, rivedere in sintesi la storia — o le storie — per tentare di capire la personalità poetica dell'autore, il metodo da lui adottato, le specifiche finalità del romanzo. Il libro si compone di sei capitoli intitolati « Gaspar Ilóm », « Machojón », « Venado de las Siete-Rozas », « Coronel Chalo Godoy », « María Tecún » e « Correo-Coyote ». L'eterogeneità dei titoli, e dei relativi argomenti, può far pensare ad una serie slegata di racconti. Ma la presenza di una numerazione (da I a XIX) interna ai capitoli stessi e progressiva nel complesso dell'opera fa scartare questa ipotesi [1]. L'« Epilogo » che segue ai sei capitoli, pur non potendo riannodare nelle sue poche righe tutte le fila delle varie storie — cosa che in buona parte viene fatta nell'ultimo capitolo, « Correo-Coyote » —, vuol comunque essere la conclusione unitaria con cui l'autore ha inteso dare fine al libro.

Questa constatazione può bastare a dimostrare l'intendimento dell'autore, per lo meno al momento della redazione finale, di conferire una certa unità formale, o esteriore al libro. Ma l'unità reale, quella che scaturisce dal contrappunto tra il significato e i piani espressivi dell'opera, è stata oggetto di riserve da parte di più critici, a taluni dei quali (A. Del Saz, F. Alegría, S. Menton) Giuseppe Bellini, prima di me, risponde che, in realtà, tali appunti « hanno una loro ragione solo se ci ostiniamo a considerare *Hombres de maíz* secondo gli schemi tradizionali del romanzo. In tal caso è fuor di dubbio che la trama appare mancante di reale consistenza, l'azione vi è slegata e ogni capitolo avrebbe ben potuto entrare a far parte di quella 'magnifica antologia' di racconti e di folclore maya cui lo stesso Menton allude. Non v'è dubbio, inoltre, che i due ultimi capitoli appaiano uniti artificiosamente a quelli che li precedono. Tuttavia non è secondo questo schema — continua il Bellini — che va inteso e giudicato il romanzo di Asturias. In fondo, la trama materiale è quella che meno importa in *Hombres de maíz* (...). Ciò che ad Asturias interessa è rendere lo spirito del Guatemala, la sua consistenza fenomenica, la sostanza interiore che lo rende entità permanente nel tempo. Perciò egli situa la sua vicenda in un succedersi diluito di eventi i quali sono unicamente un pretesto per raggiungere il fine indicato » [2].

I criteri di giudizio di una volta, quelli — per intenderci — ereditati dalla tradizione ottocentesca (a loro volta determinatisi sulla moda e sui modi del romanzo di quel secolo), ponevano alla base della valutazione estetica dell'opera il concetto di unità. Ma la riforma del pensiero letterario operatasi nel novecento impone un adeguamento di quei criteri di analisi e di valutazione. La moderna opera letteraria, come sempre preoccupata di indagare l'umano universo ma operante in un contesto di realtà evidentemente mutatosi rispetto al passato, non s'accontenta d'una razionale rappresentazio-

(1) La numerazione delle parti di *Hombres de maíz* presenta qualche analogia stilistica con quella de *El libro del consejo* (o *Popol Vuh*): in entrambe le opere essa è formale espressione di frammentarietà ed episodicità, ma anche spia di una concezione unitaria della realtà, multiforme nei suoi aspetti.

(2) *La narrativa di M.A. Asturias*, Milano-Varese, Cisalpino, 1966, pp. 66-67.

ne del mondo fenomenico, e tende, attraverso forme di auto-analisi continue e varie, a demolire, o per lo meno a porre in dubbio, le tradizionali nozioni, quelle teorie circa la razionalizzazione del mondo che apparivano scontate, insostituibili; e parimenti rifiuta la passiva accettazione dello svolgersi apparentemente normale e logico degli avvenimenti e le accezioni correnti di tempo e di luogo. Il romanzo moderno non offre più, o comunque può escludere, la descrizione lineare di una storia, perché oggi una vita senza forma — i termini del concetto sono di Robert Musil — è l'unica forma che corrisponda alla molteplicità delle volontà e delle possibilità di cui è piena la nostra vita.

Il romanzo si svolge tecnicamente come un'opera di pittura moderna, dove una serie di macchie di colori, mentre costituiscono gli elementi della composizione artistica, vivono anche di una vita propria. La sua unità si basa perciò sul principio della varietà dei modi di analisi dell'esperienza. L'argomento del romanzo, o tema dominante, o, meglio, problema, è unico; esso riguarda la condizione india nella soggezione alla civiltà capitalistica occidentale. La fiorente civiltà maya della Mesoamerica, come quella incaica del Sud, fruiva di un'economia prevalentemente comunitaria. L'ascendenza maya, nei suoi riflessi economici e culturali — persino a livello concreto di lingua parlata — è tutt'ora viva nell'area guatemalteca. Per gli indigeni, il tempo trascorso dall'abbattimento dell'organizzazione societaria maya non è molto; rispetto alle culture scritte, le culture orali hanno una memoria che, precisamente perché priva dell'ausilio grafico, risale ad epoche per noi remote per suggerimento diretto, senza dover passare attraverso il filtro della storia scritta, che smorza, o spegne, la suggestione.

Tutto ciò dà un significato concreto alla base espressiva del romanzo, che, ponendosi come primo termine del rapporto lingua-civiltà, può e deve ulteriormente essere scisso nella dicotomia di forma e di sostanza. In questo modo, mentre si precisa la validità su cui si fonda tale rapporto — per cui una lingua originaria produce una civiltà che con essa si identifica, e viceversa; una civiltà differisce da un'altra nella misura in cui le rispettive lingue originarie differiscono —, il piano della forma e quello della sostanza si pongono come una rete funzionale di dipendenze interne e possono essere così schematizzati:

Parti del romanzo	*Piano della forma*	*Piano della sostanza*
« Gaspar Ilóm »	dramma fiabistico	Termini del conflitto: concezione poetica del mondo basata sul principio dell'economia comunitaria (identificazione di magia e realtà) contrapposta ai principi e agli effetti dell'utilitarismo capitalistico.
« Machojón », « Venado de las Siete-Rozas », « Coronel Chalo Godoy »	drammi fiabistici	Effetti immediati del conflitto: forza, limiti e crisi dell'organizzazione societaria indigena (rottura dell'equilibrio nella visione mitica del reale: si scatenano le forze magiche della natura); impossibilità di reagire con le stesse armi degli aggressori.
« María Tecún », « Correo Coyote »	fiabe drammatiche	Conseguenze interne del conflitto: disfacimento della struttura societaria indigena; fine del mito (apparizione di sentimenti di estrazione cristiana: attesa, speranza, rassegnazione).
parte conclusiva di « Correo Coyote », « Epilogo »	racconto drammatico	Ricongiungimento dei fili e dei piani narrativi e conclusione unitaria spazio-temporale: riaffermazione ideale degli elementi poetici della cultura indigena in simbiosi con alcuni valori della civiltà cristiana (sentimenti dell'amore e del perdono).

Cosí concepito, lo schema dell'opera è ampiamente illustrativo della tematica socio-politica — rapportata alla tensione etnica del popolo indigeno guatemalteco — e dei piani temporali — rapportati alla storia dell'aggressione fisica e culturale di quel popolo e alla parziale trasformazione della sua civiltà come conseguenza logica del conflitto — perseguiti da Asturias.

Giovanni Battista De Cesare

LINGUAGGIO E NARRATIVA NEGLI ULTIMI LIBRI DI ASTURIAS

L'ultima narrativa di Asturias, caratterizzata da un ritorno ai temi mitici del mondo maya, fa ricorso ad un procedimento linguistico sempre più personale, che si differenzia sostanzialmente da quello impiegato nel romanzo tradizionale.

Anzitutto, il mito e la sua significazione simbolica, tematica ricorrente dell'ultimo Asturias, e ci riferiamo in particolare ai romanzi *El Alajadito, El espejo de Lida Sal, Mulata de Tal,* e, infine, alla recente opera, *Maladrón,* divengono l'oggetto principale della narrazione, anzi, la narrazione stessa, apportando nel clima del racconto un sentimento di nostalgica contemplazione per un passato, che in realtà è carne e sostanza, paesaggio naturale del guatemalteco Asturias.

Inoltre, il senso di coralità e di grandezza delle antiche cosmogonie viene ricreato attraverso una serie di mezzi espressivi che attingono alle regioni del sacro e dell'onirico, capaci di fantastiche evocazioni e di magiche avventure; cioè, Asturias si avvale del potere magico del sogno e delle sue immagini nebulose, per registrare in tutta la sua misteriosa bellezza la sostanza poetica di un mondo lontano ma ancora presente nello spirito del narratore.

È chiaro che da questa volontà e da questa esigenza interna di fare del mito una condotta di vita, deriva il senso di una lezione etica in stretto rapporto con una condizione presente, in particolare con quella circoscritta all'ambito della situazione sociale dei paesi sudamericani, precedentemente denunciata dallo scrittore nei romanzi di protesta [1]. Ma ciò vuol anche significare che Asturias ha compiuto e portato a termine un tentativo, iniziato fin dalla lontana traduzione del *Popol-Vuh,* tendente ad accordare un mondo di valori spirituali con le angosce dell'uomo moderno.

In tal senso diventa determinante l'importanza che ricopre il lin-

---

[1] Ci riferiamo, in particolare, ai romanzi: *El Señor Presidente*, Buenos Aires, Losada («Biblioteca Contemporánea»), 1948; *Hombre de maíz*, Buenos Aires, Losada (« Novelistas de España y de América »), 1949; *El Papa Verde*, Buenos Aires, Losada (« Novelistas de España y de América »), 1954; *Viento fuerte,* Buenos Aires, Losada (« Novelistas de España y de América »), 1955; *Week-end en Guatemala*, Buenos Aires, Goyanart, 1956.

guaggio nella rappresentazione di una realtà sospesa sul filo della leggenda e della creazione poetica, ed immersa in una atmosfera densa di significati, ma resa immobile dalla mancanza di concreti elementi narrativi. L'immagine, pertanto, la parola, divengono gli strumenti piú validi e più idonei alla recezione di un mondo poetico dove la parola, appunto, rappresenta una forma di conoscenza e di possesso delle cose.

Ristabilire il contatto con il mondo della tradizione maya, riandare a quel tempo, significa per Asturias scavare nella parola, reperire in essa la sorgente emozionale delle idee, scoprire nel gioco dei suoi segni il segreto dell'antica formula magica da cui far sgorgare il prodigio della poesia; gli oggetti, allora, appariranno nelle loro dimensioni mitiche: un albero sarà *l'*albero, un prato *il* prato, ed un uomo *l'*uomo.

Dice Pavese: « La ricchezza di una favola sta nella capacità ch'essa possiede di simboleggiare il maggior numero di esperienze » ([2]). E ancora: « Un mito è sempre simbolico; per questo non ha mai un significato univoco, allegorico, ma vive di una vita incapsulata che, a seconda del terreno e dell'umore che l'avvolge, può esplodere nelle più diverse e molteplici fioriture » ([3]).

Ora, per Asturias, il tipo di fioritura di questa favola si realizza a volte nella poesia, ma piú consistentemente nella prosa: romanzi, racconti, tanti brevi racconti, legati l'uno all'altro dal filo alogico della fantasia che utilizza la fonte delle leggende come proiezione di esperienze dirette prese dalla mitologia moderna. Lo stesso scrittore, in un articolo di chiarimento sul libro *El Señor Presidente* ([4]), ha suggerito l'interpretazione da dare alle sue figure, in particolare a quella del dittatore, da intendersi come mito moderno, come pure altri personaggi che corrisponderebbero ad altrettante esperienze ed espressioni della vita moderna.

Postulata tale premessa ed accettata, pur con qualche perplessità, la teoria vichiana di un ritorno o di una sopravvivenza degli antichi miti ancestrali nella nostra vita quotidiana, resterebbe ancora da chiarire il problema del linguaggio, cioè com'esso si articola e come si definisce sulla pagina, giacché non v'è dubbio che rappresenta il veicolo principale attraverso cui si condensa il debole ordito del materiale narrativo di Asturias.

Se limitiamo la nostra indagine alla produzione degli ultimi anni, e, precisamente, se prendiamo in esame i tre libri de *El Alajadito, El espejo de Lida Sal,* e *Maladrón,* che, insieme a *Mulata de Tal,* segna-

---

([2]) C. PAVESE, *La letteratura americana e altri saggi,* Torino, Einaudi, 1951, p. 96.
([3]) *Ivi,* p. 301.
([4]) *El Señor Presidente come mito,* in « Studi di Letteratura Ispano-Americana », I, Varese, Cisalpino, 967, pp. 13-17.

no il vertice dell'evoluzione stilistica cui è pervenuto lo scrittore dopo anni di continuo lavoro, appare evidente che ci troviamo di fronte a tre diversi momenti di un'unica fase di ricerca espressiva: il momento in cui è presente, per lo meno come sottofondo, la rappresentazione della realtà oggettiva; quello in cui assistiamo all'identificarsi di essa con il mondo magico ed ancestrale dell'indio; e, infine, l'ultimo, presente nel romanzo del *Maladrón*, dove la tensione espressiva diventa misura stessa del narrare, e va a cogliere, nell'incontro del conquistatore spagnolo con la cultura precolombiana, l'aspetto tremendista di una religione del male, già presente nei libri de *El Alajadito* e di *Mulata de Tal*, ma qui riproposta in soluzioni stilistiche piú scoperte, e scandita come l'oscuro ricordo di una forza che domina la mente dell'uomo.

El Alhajadito (5), uscito a Buenos Aires nel 1961, mentre gli inizi della stesura risalgono al tempo delle *Leyendas de Guatemala*, è composto da una serie di brevi episodi, che seguono uno sviluppo unitario in quanto il protagonista principale, un bimbo, solitario abitatore della casa misteriosamente abbandonata dagli antichi discendenti, finisce per riunire, con una minuziosa analisi di fatti e di avvenimenti, in parte solo intravvisti o immaginati, il presente e il passato, la sostanza delle cose e la sua parte d'ombra e di sogno.

Giustamente il Bellini, nel suo saggio sull'opera di Asturias (6), mette in rilievo il legame esistente tra il mondo logico ruotante intorno al bimbo e il suo misterioso vaneggiamento; anzi, il clima di fascinosa magia che regna su tutto il libro deriverebbe da una continua compresenza o *transfert* della realtà nel sogno, e viceversa: « Il vaneggiamento del sogno innalza le sue costruzioni servendosi dei ritagli di una realtà pericolante. 'El Alhajadito' trasferisce nel sogno l'angoscioso interrogativo intorno alla sua stessa realtà, alla sua origine » (7).

Ora, il linguaggio riproduce mirabilmente tale mescolanza di toni, accordando la frammentaria sostanza narrativa con la possibile collocazione della stessa in altro tempo, in altro luogo, fuori, cioè, dalla diretta esperienza dei sensi. Ciò determina nella stesura del racconto dei veri 'salti' e dei vuoti, al cui posto s'inserisce, quando non è lasciato al lettore, o meglio, alla sua immaginazione, il fluire del pensiero che allarga, scava, rompe i limiti delle realtà, creando contorni, parvenze, insospettate rivelazioni...

---

(5) M. A. Asturias, *El Alhajadito*, Buenos Aires, Goyanarte, 1961. Per le citazioni del testo facciamo riferimento all'edizione delle *Obras Completas*, Madrid, Aguilar, 1968 (2ª), III.

(6) G. Bellini, *La narrativa di Miguel Angel Asturias*, Milano-Varese, Cisalpino, 1966, p. 191.

(7) *Ivi*, p. 191.

Dalla favola alla leggenda, il passo è breve. Se *El Alhajadito* rappresentava il mondo della realtà trasferito nel sogno e nella fantasia di un bimbo, *El espejo de Lida Sal* ripropone il mondo delle leggende e dei testi sacri maya: il *Popol-Vuh*, i libri di *Chilam Balam* o gli affreschi di *Chichén Ttza* o *Tikal*.

Il libro, comprendente sette racconti, preceduti da un « Portico », esperimenta, in definitiva, la possibilità delle soluzioni stilistiche cui è giunto Asturias, nell'arco assai lungo della sua produzione letteraria, adoperando tecniche, già utilizzate in opere precedenti, ma che ora aderiscono con segrete rispondenze al nucleo principale della materia, diventandone l'elemento costitutivo e, di conseguenza, la narrazione stessa.

« Con *El espejo de Lida Sal* — ha scritto un critico [8] — Asturias parece volver a sus primeras fuentes de inspiración ». Ciò risulta vero per quel che concerne il contenuto, ma nei riguardi della forma, dobbiamo convenire che essa accentua, anzi esaspera la forza evocativa insita nella parola, nell'intento di restituirle l'antico valore poetico, proprio della prosa maya.

Già nella premessa del « Pórtico », lo scrittore dà vita a un ritmo stilistico che concentra l'attenzione dei lettori su di uno stesso suono, su di uno stesso colore, legando le immagini l'una all'altra mediante nessi ripetitivi, antitesi e forme onomatopeiche, aventi la funzione di raccordo nella frase e di armonia nella pagina. Soprattutto, mentre da una parte l'autore si preoccupa di creare una certa coesione tra suoni e colori, dall'altra opera una continua rottura sul terreno della semantica, attraverso l'inserimento di sinestesi o di formule asintattiche, dirette a confondere e a disperdere il senso logico del periodo, in modo da condurre il lettore ad affidarsi unicamente alla suggestione della parola ...

In una concezione sostanzialmente primitiva del mondo, le forze oscure del male convivono, anzi sono il supporto fondamentale della visione positiva della vita, determinando in tal modo una continua lotta, e quindi una compresenza, degli elementi negativo e positivo.

Ora, nel *Maladrón* [9] , la cui tematica ci riporta al tempo delle conquiste spagnole in terra americana, e più precisamente mostra

---

[8] C. Fell, *El último libro de Asturias,* in « Mundo Nuevo », 17, 1967, pp. 84-85.

[9] M. A. Asturias, *Maladrón (Epopeya de las Andes Verdes)*, Buenos Aires, Losada, 1969.

lo sforzo perseguito da un gruppetto di avventurieri nella ricerca del passaggio tra l'oceano Atlantico e il Pacifico (il racconto, tuttavia, diventa spesso ambiguo e sfuggente, e traspare una chiara denuncia nei riguardi degli spagnoli, accusati di saccheggio), lo spirito negativo e demoniaco che animà alcuni personaggi gioca un ruolo importante nella scelta di un linguaggio che, attraverso espedienti e finezze e ritmiche stravaganze, cerca di riprodurre una tensione narrativa allucinata e non priva di certo fascino sinistro.

Come precedentemente sperimentato, Asturias porta avanti contemporaneamente diversi episodi, allacciandoli l'uno all'altro, non tanto per il confluire di essi in un'unica storia, quanto per l'esistenza di un'eguale atmosfera che fa rientrare tutto e tutti, figure e dettagli, entro gli schemi di uno stesso gruppo monolitico.

Di diverso, nei confronti delle opere precedenti, notiamo la capacità dello scrittore di entrare nei personaggi, nelle loro differenti mentalità e strati sociali, confondendoli, amalgamandoli e restituendoci, in pari tempo, due mondi sostanzialmente dissimili e lontani: quello immenso e favoloso degli indios e l'altro, più emancipato ma anche più corrotto, dei conquistatori.

I preparativi di una battaglia che gli uni e gli altri stanno per affrontare, vengono, ad esempio, descritti sia dal campo degli assaliti che da quello degli assalitori: così, le invocazioni agli dei, le grida dei guerrieri e il senso di una pace turbata e irrimediabilmente compromessa si mescolano al rumore minaccioso delle armi dell'esercito spagnolo, e, in particolare, alle vicissitudini di alcuni soldati, perdutisi nella foresta dietro un loro sogno eroico e venale.

La guerra, che paradossalmente dovrebbe fornire l'occasione principale dell'incontro tra indios e spagnoli, segue in disparte, come riflesso di frammentarie storie, per lo più inspirate a sentimenti di nostalgia, o a scene di magici riti religiosi: lo storia del guerriero Caibilbalán, « Señor de los Andes », colpevole della sconfitta dello esercito « man », che viene condannato alla degradazione e all'esilio nel « país del locandón y el mono »; oppure, la lunga peregrinazione del gruppetto degli ostinati spagnoli, inseguitori del fantomatico passaggio tra i due oceani, e seguaci idolatri del culto del « Malandrón », il Cattivo Ladrone.

Sempre un uso appropriato della forma ci permette di entrare nel significato di una sostanza composita, che si alimenta di continuo di tanti singoli episodi, carichi di una simbolicità che arriva a toccare le parti più realistiche del romanzo, confondendole, e creando quel clima di favolosa intemporalità che è il tema fondamentale del libro.

Del resto, il ricorso frequente alla tecnica surrealista è la prova che lo scrittore si è ormai inserito nello spirito del mondo che rappresenta, e da lì guarda e osserva, con la ricchezza e l'effervescenza proprie dell'indio, i fatti e gli avvenimenti che lo circondano:

> Caibilbalán, guerrero-taltuza, se interna en la cueva de las columnas de fuego. Millares y millares de hormigas coloradas luchan por contener un río de azufre que penetra a una gruta azul como la noche. Lucha de colores. El rojo cortándole el paso al amarillo para que no invada el azul. Lucha de substancias. La sangre cortándole el paso al incendio para que no llegue al mar dulce. Millares de hormigas, incontables, voluntariosas, compactas, tratando de contener el avance del mineral amarillento que busca el respiradero de las turquesas sumergidas ([10]).

In tal modo, l'alchimista Asturias coglie nella sostanza delle cose le più tenui variazioni e colorazioni, e più ancora una lenta e sotterranea lotta come elemento base di una primitiva concezione della vita, che finisce per contaminare gli stessi spagnoli e, comunque, qualsiasi presenza che vi respiri dentro. Ciò appare evidente in diversi momenti della vicenda, nel dialogo, per esempio, che ha luogo tra i cavalli nati successivamente nelle Indie e quelli precedentemente importati; oppure, nella metamorfosi della statua del *Maladrón* che, come nella favola di Pinocchio, prende forma e vita sotto le mani del suo intagliatore e parla con lui, discute sul concetto di « arte » ([11]); e poi lo insulta, rimproverandolo di aver abbandonato, insieme al gruppetto dei suoi seguaci, le imprese della conquista per cercare il passaggio tra i due oceani, vicino al quale sapeva di trovare miniere d'oro e d'argento.

Sintomatico è pure l'atteggiamento di Asturias di riunire nello stesso progetto (elevare una statua al culto del *Maladrón*), indios e spagnoli, sebbene i primi credano trattarsi del « Señor de los Terremotos, Hacedor de Temblores »; come pure sintomatica è la figura femminile di Titil-Ic, l'india che convive con gli spagnoli e li inizia e li spinge al morso della tarantola « por ser necesario llevar guía de araña para no perderse entre tanto pelo de agua » ([12]); figura che indubbiamente richiama alla mente quella dell'india Marina, l'amica e collaboratrice di Cortés.

C'é, cioè, più di una coincidenza con fatti e personaggi della storia della conquista per non scorgere nel libro del *Maladrón* i motivi di una voluta polemica contro la nuova civiltà importata dagli spa-

---

([10]) *Ivi*, p. 46.

([11]) *Ivi*, p. 179. Dice a proposito il « Maladrón »: « La servidumbre del arte condiciona las más tristes de las servidumbres humanas... ».

([12]) *Ivi*, p. 63.

gnoli e, in particolare, contro quella parte di avventurieri avidi e senza scrupoli, i quali, nei loro continui discorsi sul Diavolo e la potenza del Cattivo Ladrone, sembrano parodiare i dotti sermoni che religiosi e conquistatori impartivano agli sprovveduti indios sulla natura di Dio e della Vergine Santa.

In tutto il libro incombe un senso sotterraneo di magia e di maleficio, che sul piano linguistico si concretizza mediante l'uso frequente della metafora, una disposizione sempre più pronunciata per l'allitterazione e il ripetersi ossessionante di suoni ritmici; i quali, insieme ad un vocabolario già contaminato per la presenza dell'elemento indigeno, servono da scansione interiore ad un lessico reso secondo l'asintatticità di certe zone della lingua primitiva:

> — ¿Pero, que idioma es ése, hebreo, griego, latín...?
> — El nuestro idioma, Duero Agudo, el nuestro, sólo que para darle más sazón meto una palabra en otra, alternando la sílabas, delipolitósticos suena mejor que delitos políticos [13].
> — ¡Sí, Titil-Ic se hizo lluvia para esconderse en la lluvia, y lluvia su hijo! ¿dónde los vamos a encontrar...?
> — ¡Titil-Ic se hizo huele-de-noche para esconderse en la noche que huele, y huele-de-noche su hijo! ¿dónde los vamos a topar...? [14].

In definitiva, un'analisi, anche come questa affrettata, del procedimento stilistico adottato da Asturias negli ultimi libri, ci prospetta una situazione di ricerca espressiva in continua evoluzione, per lo più felicemente risolta in una specie di animismo della parola, che ricaccia indietro l'intenzione di una narrativa cedente all'impressionismo delle sensazioni e all'immagine come pura decorazione.

GABRIELE MORELLI

---

(13) *Ivi,* p. 101.
(14) *Ivi,* p. 200.

I « SONETOS VENECIANOS » DI ASTURIAS

Se il romanzo, la narrativa in genere, hanno assunto per la fisionomia letteraria di Asturias un significato così preminente da polarizzare su di essi, quasi esclusivamente, il giudizio dei critici, l'attenzione dei lettori, la poesia non è stata in realtà un capitolo minore nell'attività creativa dello scrittore guatemalteco, ma piuttosto un esercizio intimo, « recatado ». Benché, in definitiva, parlare di poesia, per Asturias, voglia dire abbracciare tutta la sua opera, in quanto anche la narrativa e il teatro sono essenzialmente permeati di poesia. Essa si manifesta, infatti, in quell'afflatto lirico-narrativo-drammatico con cui l'artista rivive il suo mondo, nell'« indianità » non settaria, non motivo contingente, ma parte essenziale dello spirito.

Nella poesia, quella in versi, intendo, tale afflatto lirico, tale aderenza a un mondo del quale Asturias si sente parte integrata e integrante è quanto di più evidente. La sincera adesione dell'artista alle vicende della sua gente, alla viscera della sua terra, gli permette di apportare alla poesia una sensibilità, una freschezza di ritmi e di colori del tutto inediti, non tesi al pittoresco, ma a sottolineare piuttosto, per contrasto, in una permanente nota lirica, le inquietanti tinte della tragedia, al disopra della quale innalza un messaggio di speranza. Il continuo intersecarsi dei piani temporali — passato e presente — afferma una prospettiva certa di riscatto per il futuro.

Le radici autoctone, i legami profondi con l'antica poesia precolombiana, sono particolarmente vivi nella poesia di Miguel Angel Asturias. La coscienza di un momento diverso nella condizione della sua gente, che caratterizzò il passato, si proietta sul tempo a venire. La poesia mitica del *Popol-Vuh,* le antiche concezioni cosmogoniche, operano in profondità nello spirito guatemalteco, e Asturias ne sente tutta la suggestione. Egli rivive con acuta sensibilità la spiritualità maya; anche per lui, come per gli antenati remoti, tutto acquista una vita segreta, che solo attinge chi ha l'animo puro. Inizia, allora, un intimo dialogo tra l'uomo e le cose, modo, in sostanza, per stabilire una distinzione morale tra oppressi e oppressori. E come presso le antiche civiltà meso-americane solo il « predestinato » poteva assumere la parola per la collettività, divenendo di essa l'interprete sacro, così Asturias si trasforma nel « Gran Lengua » della sua gente, della quale nella poesia rivela non solo la condizione dolente, ma le nobili aspirazioni e la ricchezza spirituale.

Nel prologo a *Sien de alondra,* che raccoglie la somma prima dell'Asturias poeta, Alfonso Reyes dichiara di scoprire nei suoi versi, con intuito chiaro, una nota positiva e confortante intorno all'esistenza e all'avvenire della poesia in America, e sottolinea, in particolare, nel verso, la nota di costante sincerità. Il Reyes vede sorgere tale poesia dalle visioni più immediate, fondarsi sulle emozioni più permanenti, in una traiettoria che, partendo da accenti modernisti, attraverso le esperienze dell'avanguardia, approda ai moduli e ai ritmi caratteristici dell'antica poesia precolombiana, di cui faceva propri taluni mezzi stilistici, come l'iterazione e il parallelismo, il simbolismo e la metafora, aggiungendovi la novità della *jitanjáfora,* che permette di evocare atmosfere eroiche e sacre, di profonda suggestione.

Sien de alondra, che Asturias pubblica a Buenos Aires nel 1949, raccoglie i frutti di una lunga stagione poetica, che risale al 1918. Il libro fu successivamente ampliato nell'edizione madrilena delle *Obras escogidas* (1954), comprendendo la produzione poetica fino al 1954 e gli *Ejercicios poéticos en forma de soneto sobre temas de Horacio.*

Dal 1954, pur dedicandosi prevalentemente alla narrativa, Miguel Angel Asturias non tralascia la poesia. Si può dire, anzi, che in alcuni momenti essa assuma un rilievo non inferiore, nelle intenzioni del poeta e per il valore intrinseco, alla sua opera in prosa. Diverse poesie egli pubblica su varie riviste, riunite più tardi, nel 1968, in *Parla il « Gran Lengua »*, con altre composizioni delle epoche precedenti. Nel 1965 la pubblicazione di *Clarivigilia primaveral* dà alla poesia ispanoamericana un'opera di valore insostituibile; essa rappresenta lo sforzo di maggior significato di Asturias in questo settore della sua creazione artistica, e il momento di più alta ispirazione e originalità, nell'adesione, personalissima, al mondo delle antiche cosmogonie, ma con un'incidenza sul momento attuale di estremo rilievo. I risultati artistici appaiono sorprendenti anche nell'ambito della forma, del suono e del colore. La meraviglia del mondo meso-americano sorge nella sua pienezza, quale paradiso non gualcito dalla guerra degli uomini e del tempo.

L'« indianità » di Miguel Angel Asturias è da intendersi, nella sua traiettoria poetica, come adesione spirituale al passato mitico e alle sue forme; di tutto ciò egli afferma la validità nel tempo, quindi anche per l'attualità, un presente che la realtà mostra amaro e doloroso, colmo di ingiustizie, ma non cristallizzato in senso negativo. L'impegno che domina lo scrittore nell'opera in prosa, manifesta nella poesia una più scoperta preoccupazione per il proprio paese, il Guatemala. La passione per la patria asservita domina i versi del poeta; l'epica grandezza di « Tecún-Umán » si definisce meglio alla luce di un oggi miserabile, quello denunciato in « *Alimentos* » e nella « *Marimba tocada por indios* ». La magia di un mondo che sembra affermare sul tempo un privilegio naturale diviene più suggestiva, per contrasto, nella persistente nota di tristezza con cui la poesia di Asturias fissa la situazione bruciante della patria in catene. Ma il messaggio che il poeta reca alla sua gente, al disopra dell'amarezza della realtà contingente, si concreta nella prospettiva dell'avvento definitivo della libertà e della giustizia.

Per tal modo Miguel Angel Asturias adempie alla funzione che ritiene propria dello scrittore, e del poeta, quella di denunciare per spronare, di sostenere per non far soccombere nella rassegnazione. La forza per questo tipo d'azione egli la trova nella relazione intima con le cose. La poesia di Asturias è sempre raccolta, anche quando diviene epica e civile. Il suo verso, scorrevole, musicale, ricco di onomatopee e di colore, ma rifuggente dal folclore e dall'esotismo, è soprattutto ricerca di comunicazione.

Nei *Sonetos de Italia* questa ricerca raggiunge esiti particolari. La poesia della breve raccolta scaturisce da un soggiorno del poeta a Venezia, nel periodo 1963-1964, momento assai difficile per Asturias, esule e ramingo. Nella presentazione che ne feci nel 1965, proponevo un titolo più idoneo e più logico, *Sonetos venecianos.* Miguel Angel Asturias canta, infatti, nei quattro sonetti, una Venezia della quale coglie sottilmente l'inquietante messaggio. La città lagunare è vista dal poeta in una sognante e irripetibile geografia, carica di storia e di splendore, nella presenza di un passato meraviglioso e defunto che muove a profonda meditazione. Asturias canta, perciò, Venezia nella sua bellezza incomparabile, nella magnificenza irreale delle sue architetture, nella pittura luminosa del Carpaccio, anch'essa, come la città, richiamo insistente ad epoche passate. « Aquí todo es ayer, el hoy no existe »; un ieri favoloso, denso di mistero, che confermano in suggestioni d'enigma anche gli animali più apparentemente insignificanti: nella loro presenza si riflettono echi di lontani splendori, di esotiche magnificenze, un mondo addormentato, incantato, nel quale rivive, per immediato riferimento dello spirito, quello più intimamente sentito da Asturias, le città maya con il loro enigma, e, sulla lezione del tempo, la distesa presenza della morte.

Nei *Sonetos venecianos* si percepisce chiaramente come la città italiana scavi nel profondo del cuore. La grandezza antica di Venezia, la fantastica sospensione dei palazzi, tra acqua e cielo, riconduce Miguel Angel Asturias al centro spirituale del suo mondo, fisso nel tempo, presenza continuamente operante.

Dopo il Premio Nobel, lo scrittore guatemalteco torna a Venezia, in altre condizioni spirituali e con diverse prospettive per il futuro, per ricevere dall'Università veneziana la laurea « honoris causa », e di nuovo sente l'antica suggestione. Tre altri sonetti vengono ad aggiungersi, in tale occasione, ai precedenti. Composti nel maggio 1972 essi ripresentano, in altri accenti, il clima pensoso e incantato dei precedenti. Di Venezia Miguel Angel Asturias non può cantare che l'unicità e la meraviglia, deducendo una lezione etica che si proietta sull'inquietante ed eternamente irrisolto problema dell'uomo e delle cose di fronte al limite.

GIUSEPPE BELLINI

CLARIVIGILIA PRIMAVERAL

... Fra Bernardino di Sahagún ci ha tramandato attraverso uno dei suoi *Informantes* che il luogo mitico dove nacque la cultura nahuatl-messicana era *Tamoanchan* — la cui etimologia significa: « noi cerchiamo la nostra casa ». In quel luogo vivevano, assieme alle antiche popolazioni, i primi saggi, i *tlamatinime* ossia « coloro che sanno le cose, coloro che posseggono i codici ». Ma ecco che un giorno successe qualcosa di assolutamente imprevisto. I saggi udirono la parola del loro dio « che era come la notte e il vento » e ordinava loro di andarsene, di portare con sé e per sempre le antiche tradizioni, le arti, l'inchiostro nero e rosso che serviva per dipingere i loro ideogrammi e glifi nelle pelli di cervo e nelle cortecce di amatle. La vecchia relazione indigena presenta allora il quadro drammatico della reazione di coloro che rimasero a Tamoanchan privati ormai dell'antica saggezza. Partiti « coloro che sanno le cose » e conoscevano le arti, sembrava impossibile continuare ad esistere. Gli antichi mesoamericani pensavano che la esistenza senza storia e senza cultura, senza trasmissione dei valori supremi della propria civiltà, implicava la fine biologica — oltre che morale — delle loro vite, una sorta di cataclisma universale. Ma col favore di una insperata fortuna ecco che nel bel mezzo del generale sbigottimento e nel torpore che aveva ormai invaso la città, si scoprirono quattro vecchissimi Saggi che non avevano voluto partire. A richiesta del popolo essi si riunirono e dopo lunghe deliberazioni riuscirono a riscoprire l'antica saggezza con l'aiuto della memoria e di alcuni elementi disarticolati che essi con pazienza, volontà e amore ricomposero in una nuova e vecchissima sintesi. Riscoprirono l'antica saggezza, l'antica forma di preservare il ricordo del passato, l'immortalità della storia:

« Allora inventarono il computo dei destini,
gli annali e il computo degli anni,
il libro dei sogni... »

Questa è la relazione drammatica dell'impegno di un popolo per non perdere memoria e coscienza del proprio passato perché il suo passato è il suo presente. Mito o realtà, il testo indigeno che parla di questa reinvenzione nahuatl della storia è eloquente e sintomatico di per se stesso. Per i mesoamericani il ricordo del loro passato, l'inchiostro nero e rosso dei codici, era la torcia, la luce, la guida che rendeva possibile trovare la strada, il senso della vita individuale e collettiva, e mantenere in vita non solo la città ma, con solo apparente paradosso, la terra stessa. Essa era per loro il tripode sacro che popolando il mondo di dei lo trasformava in un vero focolare cosmico: sempre sarebbero continuate ad esistere lotte senza fine, mutamenti, cambio di « soli » ma tutto questo e le sofferenze ed incertezze fisiche e metafisiche che sottintendevano erano suscettibili di avere un senso. Il ricordo del passato, la sua immortalizzazione e paradigmicità attraverso la parola lo potevano rendere in qualche modo comprensibile e quindi accettabile. La luce del *logos* illuminava il caos permanente dell'Universo.

Ora, questa operazione di ricostruzione, di reinvenzione, di continuazione è proprio quella che Asturias ha fatto e fa nella *Clarivigilia*. Egli riprende con una straordinaria libertà neocreatrice i materiali di un mondo dimenticato, travolto, scomposto, muto e offeso ma non defunto e lo ricostruisce dal di dentro a sua guisa, con una fedeltà animica e rabdomantica non in un calco fedele, prezioso e distante. L'operazione è di carattere essenzialmente interiore, le vibrazioni, il significato, la stessa decifrazione sono di origine mistica e piú ci affanniamo a rilevare o a segnalare nelle note echi e richiami precisi a testi e *attitudes* della cultura indigena antica piú misuriamo l'originalità di questa nuova mitificazione della realtà, di questa libera assunzione di una tradizione per disfarsene e crearne un'altra ugualmente avvolta nel sacro dei regni animale vegetale minerale e celeste uniti e distinti nelle innumerevoli teofanie di cui sono teatro nuovo e antichissimo.

L'oscuro ed ellittico aspetto esoterico del poema si illumina di una luce quasi frenetica, si carica di implicanze e di prese di posizione che — se giammai ve ne fosse bisogno — vanificano ogni riserva sulle qualità contemporanee e native dell'indigenismo di Asturias. Infatti, superate le difficoltà di ordine testuale ermeneutico, e familiarizzatici con movimenti stilistici cosí desueti, il poema non ci appare null'altro che un preciso *dossier* per la difesa dell'arte e della poesia, intesa come *raison d'être* esistenziale, asse descrivente e ontologico della parabola umana personale e collettiva.

Ora, la « vigencia » della indianità di Asturias è testimoniata appunto dal fatto che è attraverso le figurazioni e i modi del mondo mitico mesoamericano che egli enuncia una precisa scelta esistenziale, un manifesto di etica artistica, una articolata e metaforica discussione di retorica e di poetica. Argomenti di tanto pronunciato tecnicismo filosofico egli non li offre in forma diretta — e del resto è ben nota la sua ripugnanza, la sua debolezza o il suo disinteresse per discussioni o disquisizioni di questa natura — ma attraverso la metafora fabulatrice, la parola mito poetica. È notevole al massimo invece che per una « difesa della poesia » (poiché di questo si tratta infine) egli abbia sentito di dover ricorrere allo scenario e ai ritmi assoluti delle grandi contese teo-cosmogoniche della sua terra. Ambedue i termini ne ricevono sommo sostegno. La discussione, o meglio la proposta di estetica, si trasforma in un confronto ctonico stellare e assume importanza e movenze cosmiche che lo elevano dalle regioni di una problematica specializzata o di una preoccupazione personale a una significatività ed intensità di andamento eracliteo. Ma al tempo stesso si opera un'altra modificazione maggiore. I Guerrieri Aquila, il Tatuatore Ambidestro e tutto il « classico » armamentario precolombiano sono rivestiti e si caricano di una forza, di una emblematicità cosí autentica e vissuta da bruciare qualsiasi residuo di intellettualistica e preziosa ricostruzione per significare e partecipare a una inquietudine, ad una angoscia in cui si prefigura una vicenda di centrale ed ineludibile verità personale.

Ora, se si scenderà ulteriormente a cercare il significato vero ed ultimo del poema scopriremo un'altra straordinaria e « naturale » coincidenza fra il mondo di Asturias e quello indigeno mentre al tempo stesso si chiariscono sempre meglio le ragioni di una vera e propria metafisica ed etica dell'arte. Nel poema essa appare via via come la luce del *logos* nel caos primigenio, una forma di super-natura accanto alla quale non possono rivaleggiare gli splendori dei regni celeste, animale, vegetale e minerale perché essi mancano del suo mistero, della sua « magia », appare quindi come esclusivo ed egoista diletto di dei, ma anche dimensione vitale appassionata degli artefici... Ma questa nuovissima cosmoteogonia si incentra sul significato ed il valore sacro del verbo, del semantema. Asturias fabulatore imperterrito e silenziosamente schivo o indifferente alle dispute che incendiano la problematica contemporanea del romanzo, abbastanza disuguale per ciò che riguarda l'architettura, la coerenza fantastica, il rigore del suo raccontare, olimpicamente assente nelle contese apparentemente o vistosamente *engagées* e nelle lucidità cosmopolite della nuova generazione di romanzieri latino-americani (culturalmente parlando gli universi mentali di Asturias e quello degli altri, piú giovani, protagonisti della contemporanea narrativa latinoamericana, sembrano appartenere ad epoche diverse reciprocamente incomprensibili ed incomprese) afferma qui la sua credenza e reverenza per il verbo. Per il verbo che assicura immortalità a colui che lo crea, che fa uscire l'artista dal perire naturale delle cose e gli dà il « nome ». Naturalmente non è questa una istanza di tipo o di ascendenza individualistico-ispanica — la *honra*, la gloria, la vittoria personale oltre la folla in contrapposizione all'anonimato adespoto del mondo preispanico, anche se la sequenza senza tempo e spazio della *Clarivigilia* autorizzano qualsiasi *contaminatio* culturale — ma ancora la coincidenza vissuta e non culta con la speculazione piú raffinata del mondo mesoamericano del quale senza salto e soluzione egli appare sempre piú mitico e concreto protagonista.

Come è noto, accanto alla religione ufficiale cosí sicura e crudele, vera epifania di trionfalismo teocratico, esistevano nell'antica Mesoamerica saggi e filosofi assillati dal dubbio e dall'angoscia metafisica. In una riunione di artisti, di saggi, di signori — storicamente avvenuta — che il re di Huexotzinco promosse nella sua città (secondo quanto ci riferisce Sahagún) incontriamo formulata e risolta la risposta nahuatl al problema del senso globale della vita, della sua incerta immortalità al di là o contro le verità teologiche di stato. Di fronte alla finezza di tutte le cose, di tutti gli uomini:

« Aquile e Tigri
uno dopo l'altro tutti periremo:
nessuno resterà.
Meditatelo, oh principi di Huexotzinco:
anche la giada si spezza,
anche l'oro si rompe,
anche la piuma del quetzal si incrina:
tutto dovrà andare
al luogo dei morti... »

« flor y canto » e cioè la poesia e l'arte sono, secondo le conclusioni degli assistenti, l'unico modo di dire parole autentiche, suscettibili di dare un vero fondamento, una immortale radice all'uomo. Fra tutti i diversi modi che l'uomo ha alla sua portata per percepire ed introdurre in se stesso il misterioso filo di Arianna che gli permetta di sopravvivere alla morte delle cose ed alle incessanti mutazioni del mondo, di superare il transeunte, il piú certo e consolatore sono i suoi « fiori » e il suo « canto ». Un uomo — dice un altro testo nahuatl — può rendere se stesso « vero » e cioè non essere come gli altri un'ombra sognante e passeggera, se è capace di intonare un nuovo canto, di coltivare nuovi fiori. Certamente non si trattava neppure per gli antichi americani di una soluzione vitale che eliminava l'angoscia esistenziale dell'uomo, il senso della sua difficile precarietà, ma tutto ciò si trasferiva altrove e cioè nella difficoltà e nello sforzo di riuscire a trovare appieno e sempre il simbolo, la parola, il fiore, il canto al quale anela l'artista e che dura oltre la morte personale. Ma nel fondo del suo cuore esisteva la convinzione che finalmente l'avventura umana acquistava un nuovo senso ed una nuova dimensione di permanenza ed immortalità. Il mondo, tutto il mondo era lo scenario sempre mutevole che gli offriva la materia prima dalla quale egli elaborava e trasmetteva simboli che giungevano sino agli angoli piú remoti in un processo di lento e vertiginoso avvicinamento all'enigma della vita e della morte. Gli dei e le forze che l'uomo non riusciva a comprendere o a domare erano sua fonte inesausta di ispirazione, dono supremo che si introduceva nel cuore degli uomini e faceva di loro un *yolteotl* e cioè un cuore divinizzato, poeta, pittore, scultore, orafo, ballerino, architetto, creatori tutti del nuovo cosmo nel quale vivono i simboli, i segni *las huellas* del poema di Asturias, che hanno in sé la capacità, la proprietà magico-religiosa di dare radice, fondamento e verità all'uomo.

Questa che siamo venuti descrivendo con una qualche ampiezza è esattamente la nuova visione estetica del mondo che Asturias ci presenta nella *Clarivigilia*, nuova ed antichissima ad un tempo perché dolentemente legata alla sua esperienza di uomo e di artefice d'oggi ed inserita creativamente, attivamente nel solco di una tradizione che è arricchimento, presenza e saggezza e nella quale confluisce il soffrire, il fare e lo sperare astrologicamente ritmato dell'universo al quale Asturias responsabilmente appartiene.

Naturalmente da un testo cosí ricco e complesso si irraggiano molti altri motivi oltre a quelli sui quali è sembrato utile e nuovo attirare l'attenzione, primi fra tutti quello della rivendicazione della primazia dell'artista e del suo specifico ruolo nella società nella quale è chiamato ad operare e un invito a riconsiderare l'arte non soltanto come espressione privata ma patrimonio universale salvifico per tutti gli uomini « saggi e ignoranti nobili, dei e *macehuales* » come dice il vecchio testo nahuatl.

Ma è fuori di dubbio che, a parte la straordinarietà della resurrezione indigenista di Asturias, il suo atto di autoaffermazione ontologica esistenziale attraverso l'arte, un'arte che si nutre di ogni spettacolo del cosmo e che nutre vitalmente tutti gli uomini, è forse il messaggio di piú entusiasmante e non velleitaria o propagandistica moralità letteraria che ci sia giunto dal continente dove, come dice la parola del Sacerdote di Chumayel « soffia il vento », il sacro e consolatore vento della poesia.

Amos Segala

SULLE CORREZIONI D'AUTORE IN *CLARIVIGILIA PRIMAVERAL* DI ASTURIAS

A rendere conto della dinamicità implicita nel prodotto poetico, pochi indizi hanno la perentorietà — quando reperibili — delle correzioni d'autore: documento perspicuo ne sono i saggi proposti da Gianfranco Contini già « in epoca abbastanza remota perché vi si potesse considerare inconsueta la critica delle varianti » (1) e ancora, immutati rigore e finezza, in anni meno lontani. La sopravvivenza di momenti successivi dell'elaborazione artistica offre in effetti al critico l'opportunità di coglierne il divenire, confrontandone in diacronia fasi diverse — oggettivamente statiche, se si vuole, eppure sezioni sincroniche di un operare storico e dunque aggregati di elementi ridinamizzabili nella collezione — fino alla stesura consegnata per definitiva dal poeta. Condizione, per il fruitore, felice ancorché eccezionale, non solo in casi limite come si è dato per la *Gerusalemme* (in cui la stesura ultima eccede in cronologia la vulgata), bensì e forse soprattuto quando le redazioni intermedie, più che sezioni finite illusoriamente ripudiate, si configurano come coaguli transitori dell'energia poetica, aperti al ripensamento critico-costruttivo dell'autore, al suo continuo intervento riduttivo sull'espressione, alla sua faticosa e in teoria perenne « quête » del segno appagante per indiscutibile pertinenza testuale. Quando ne esistano le premesse, la comparazione tra due (o, che è inusitato, più) stesure di un'opera di poesia si offre al critico con il fascino della ricognizione furtiva in territori vietati, dell'ingerenza impensata nei dibattimenti intimi del farsi poetico, dell'incontro interdetto con l'atto più riservato e pudico dell'intelletto umano. E il critico, sedotto, non si sottrae all'avventura, consapevole che la sua curiosità — tutt'altro che gratuita — gli si farà strumento ad una lettura più che grammaticale, in cui la mobilità del testo — non più « dato » staticamente oggettivo — viene assunta a chiave per

(1) G. Contini, *Varianti e altra linguistica. Una raccolta di saggi* (1938-1968), Torino 1970, p. 31 (nota aggiunta alla ristampa del *Saggio d'un commento alle correzioni del Petrarca volgare,* in 1ª ed. nella Biblioteca del Leonardo, Firenze 1943 [« ma era stato scritto due anni prima »]).

una valutazione, non più apodittica ma dialetticamente feconda, del risultato poetico, tesa a definire linee di forza più che a circoscrivere aree gravitazionali.

Ad un'indagine condotta all'insegna della critica delle varianti, la collocazione tra la stesura definitiva di *Clarivigilia primaveral* e la sua prima redazione in versi si presta cospicuamente.

È noto che *Clarivigilia primaveral* nasce come racconto, e che a partire dall'estate del '63 — insofferente l'autore della riuscita narrativa — viene riscritto in forma di poema, pronto per le stampe tra marzo e aprile del '64. Negli indugi tipografici consueti, Asturias — di nuovo inappagato — rielabora il testo e ne informa Giuseppe Bellini con lettera del 20 giugno dello stesso anno (2); schermandosi di trepida ironia, citando le occasioni tentatrici e parafrasando Valéry, egli indulge all'immagine del vate dettante (ad un registratore magnetico) la nuova versione del poema, segnata tuttavia — come vedremo — da una compattezza che mal si addice all'oralità improvvisatrice ma che anzi presume una più che controllata vergatura (3). Ma quale che ne sia il meccanismo attuativo, l'intervento repentino della nuova stesura e la simultanea sussistenza della prima redazione (serbata questa dal sottile e provvido scrupolo di G. Bellini (4), che ne deteneva il dattiloscritto per la stampa) attrezzano il critico alla ricognizione delle varianti — copiose e sostanziali — immessevi dal poeta. Con l'avvertenza che la ricchezza del materiale apre l'ipotesi di una più vasta indagine alla quale né la lena né lo spazio ora disponibili sollecitano, ma che — a primo sondaggio esperito — sarà, si spera, negli auspici di tutti.

Già l'esordio, dalla collazione, manifesta le linee direttive dell'intervento rielaboratore e offre un sussidio sicuro all'esegesi. Le clausole allusivamente culterane della prima stesura

---

(2) La lettera di Asturias è pubblicata da G. Bellini nel suo saggio *Miguel Angel Asturias en Italia,* in « Revista Iberoamericana », XXXV, 67, 1969, pp. 105-15 [106-107].

(3) « ... En cuanto al poema « Clarivigilia Primaveral », mea culpa, mea grandísima culpa, tuve aquí en Génova a la mano un magnetófono, una inmensa soledad, ni un solo ruido, alojados como estamos lejos de la ciudad, entre colinas y el mar, en un séptimo piso, y casi rehice el poema. Su estructura, desde luego, ha quedado igual, pero muchos versos cambiaron, otros desaparecieron, y, en fin, que está bastante reformado. Pero « para mejor », como dicen en mi tierra. Creo que ahora sí está a la medida de lo que la imperfección humana puede lograr. Valéry decía que en un poema, lo imperfecto debe uno atacarlo en toda forma, reducirlo a ceniza si es preciso, cuando esto depende de uno, de su voluntad de trabajo, de su posibilidad de inspiración, pues, siempre quedará, decía Valéry, lo que de imperfecto hay en toda obra humana, pero imperfección que ya no depende de uno, ni de su empeño, ni de su afán, ni de su voluntad... ».

(4) A Giuseppe Bellini debbo suggerimenti e materiali per questo, che avrebbe dovuto essere suo, lavoro. Sia di ciò anche pubblica la mia gratitudine all'amico fraterno e generoso.

... mundos
que ÉL creó con sus ojos,
creó con sus ojos de saliva de espejo,
con su palabra emplumada de cantos,
mundos...

cedono ad una figuratività più corporea, ad una diversa strumentazione dell'istituto della repetitio, ora arcuata in modalità trimembre (« creó con sus ojos », « creó con sus manos », « creó con su palabra ») e interrotta dalla doppia sinonimia di radice denominale (*creó-tatuó‹Tatuador*) e metonimica (*ojos-mirada*) rispettivamente:

... mundos
que ÉL creó con sus ojos
y tatuó con su mirada de girasol,
creó con sus manos, la real y la del sueño,
creó con su palabra, tatuaje de saliva sonora,
mundos...

Il ragguaglio analogico eretto, all'ombra del creatore ermafrodito (*el Ambimano Tatuador*), tra *creó* e *tatuó* — esteso poi a *palabra-tatuaje,* — l'espunzione della metonimia frusta di « palabra emplumada de cantos » surrogata dalla metaforica « mirada de girasol », la rimozione della figura tortuosa e oscura di « ojos de saliva de espejo » con l'immediato ricupero di uno dei relitti, adibito ora a metafora funzionale, in « palabra, tatuaje de saliva sonora », non sono che variazioni retorico-stilistiche destinate essenzialmente a disporre in climax la presentazione — prima a tessere disarticolate — della suprema divinità duale comune alla mitologia nahuatl e maya; ma in seconda istanza sono chiamate anche ad assolvere il compito di inquadrare l'innesto più prezioso, la « creazione per le mani » e la collimante dicotomica alterità, discesa dal nome-attributo del dio, tra mano reale e mano del sogno. E se per un verso la « creazione per le mani » assegna un più di corporeità alla fisionomia attiva del Tatuatore, per l'altro questo accrescimento fisico trova compenso e ritocco emblematici nella specificazione netta degli ambiti di competenza di ciascuna mano: preannunzio di una ora inequivoca tendenza a instaurare una bipolarità complementare tra il piano della realtà vera e il piano della realtà mitica, tra un « tempo » storico e un « tempo » di sogno-fantasia — che è poi la bipolarità esistenziale in cui si muove la cultura mesoamericana, emergente dall'acervo testuale — tradizionale indio e travasante nella letteratura odierna di lingua castigliana. Aggiunte e ritocchi, qui e non qui soltanto, muovono comunque nella stessa direzione di una più intensa fisicità e insieme di una studiata chiarificazione enunciativa ottenuta, questa, per via di un marcato rallentamento espressivo e di una stabilizzazione fisiologica dei nessi di causalità, il tutto a spese dell'apparente stringatezza — in verità intricata ed elitariamente allusiva — della prima stesura: in sintesi, la nuova redazione tende a esplicitare — pur entro le coordinate di una poesia iniziatica — contenuti confusamente intuiti e difficoltosamente formulati della redazione originale. E il transito da una scrittura implicata ad un'inflessione lucrosamente dischiusa, si continua entro la stessa lassa esordiale, in organico sforzo eliminatorio di ogni ellittica evasività e in puntuale ricerca di guadagni espressivi collegati ad incrementi di fisicità e a condensazioni metaforiche: per cui

> mundos que al quedar ciego
> rescató del silencio,
> todo oídos,
> los mares sonoros sus oídos,
> y de la tiniebla
> con su tacto de constelación apagada,
> con sus dedos enjoyados de números y colibríes

diventa

> ...
> rescató del silencio con el caracol de sus oídos
> y de la tiniebla luminosa
> con su tacto...

La contrazione in verso unico dei tre primitivi, ottenuta funzionalizzando la struttura dell'enunciato, riscatta la banalità presuntuosa di *todo oídos* sbalzato dall'immeritata prominenza, materializza i già metaforici *oídos* e li collega di un organico *caracol* alla cui doppiezza semantica è demandato di assorbire — microscopizzandolo — il fragore marino imperante della prima stesura. Vi si unisca la felice integrazione in ossimoro di *tiniebla luminosa,* calibrata sul *tacto* e i *dedos* collaboranti al riscatto e simmetrica a *constelación apagada* del verso successivo, e si avrà il quadro completo della prima lassa e conferme specifiche della direzione in cui interviene correttivamente il poeta.

La reazione di rigetto, anche violenta e sempre impietosa, si applica a sanare intere zone infette di superfetazioni prosaiche (residui della stesura narrativa), con tagli menati — si direbbe — dall'ascia del gardaboschi più che dal bisturi del chirurgo, tanto vasti sono gli spazi spurgati e tanto radicale è l'espulsione di ogni piattezza espressiva: solo che poi la sutura dei tessuti e la rifinitura dei margini rivelano la mano abile a plasmare senza traccia, surrogando quando occorra i materiali rimossi con nuove acquisizioni, integrate episodicamente da oculati ricuperi. Così, la seconda lassa perde gli ultimi cinque versi

> (y el Ambimano Tatuador)
> cegado en el instante de ser abuelo,
> de abrir sus ojos de lluvia

la hija de su hija la Tierra,
del Cielo y de la Tierra era hija su nieta.
el Agua Dulce

sostituiti dall'unico, addensato compendio di

cegado por la lluvia de ojos de hilo.

Scomparsi gli oziosi e prolissi agguagli dinastici della prima redazione (« en el instante de ser abuelo », « la hija de su hija la Tierra », « del Cielo y de la Tierra era hija su nieta ») ed espunto dunque il nesso onomastico *el Agua Dulce*, ormai superfluo (ripreso però, per costituenti separati e rifisicizzati, nella terza lassa), l'operazione epitomatrice consiste ormai appena in un funzionale ritocco distributivo dei residuati *cegado, ojos, lluvia*, cui va aggiunto l'acquisto enigmatico *hilo*, addotto in appannata metafora disvelata, nella sua labirintica accezione, solo trentacinque versi più tardi dal distico — immutato tra le due stesure —

para no perder el hilo del tatuaje
al cruzar el mundo tenebroso.

Infine, la sostituzione di *en* a *por* in « Emisarios que se perdieron en el cielo di níquel » contribuisce, malgrado la sua apparente irrilevanza, ad incrementare l'incisività del testo corretto, calibrando il verso assurto a perno della lassa con una determinazione spaziale che si somma all'intoccata puntualità temporale del verbo.

Le innovazioni, dunque, mirano tutte — almeno finora — a ristrutturare inflessibilmente certe zone dell'enunciato con il drastico rigetto dei materiali ritenuti, e si potrà dire a ragione, superflui o ridondanti o futili, con il prosciugamento di sacche inquinate di verbosità narrativa e con il parallelo ricupero di relitti suscettibili di più redditizia destinazione. L'accresciuto favore per la metafora trasparente o quanto meno corredata di una propria — contigua o a distanza — chiave esplicativa e in genere la revoca (sembrerebbe indolore) di certo gratuito allusivismo ottenuto nella prima stesura dall'accumulo di ellissi sterilmente vane, la cura posta nell'equilibrare taluni scompensi ritmici e insieme nell'inserire nuove accessioni di pregevole fattura lirica (oltre ai luoghi citati, si veda nella terza lassa l'impressionistico « la osamenta ruidosa del mar ») sono indizi convergenti, pur nell'attuale insufficienza dei dati reperiti e nella provvisorietà delle illazioni lecite, ad individuare, nelle linee di tendenza rivelate dalla collazione, il manifestarsi di una più integra consonanza del poeta con le istanze socioculturali insite nella materia assunta e già coerentemente espresse dall'Asturias narratore. La rimeditazione della mitologia india, significativo ricupero di una cultura ancestrale e strumento ad una congrua conoscenza dell'uomo mesoamericano, impone al poeta la ricerca di una più fedele, si vorrebbe dire filologica, aderenza ai testi sacri di quella mitologia, dal *Popol Vuh* ai *Chilam Balam*, noti ad Asturias lettore e, il primo, anche ad Asturias traduttore: un'aderenza che appare comunque viziata — come ognuno comprende — dalla radicale commutazione espressiva richiesta e dall'obbligo conseguente di riconnotare e persino talvolta di ridenotare — per la palese insovrapponibilità di fondo dei sistemi a raffronto — tutta la materia linguistica implicata nell'operazione, ma che nondimeno sarà da perseguire ad ogni costo almeno fin dove lo ammetta l'ingegno dell'operatore, e se non altro fino a spianare le aggrovigliate raffigurazioni di quei miti e a lacerarne i velami simulati dall'inesperiente impiego delle risorse disponibili. D'altra parte, la consapevolezza di Asturias che all'arte — tanto più in un contesto predato della trama e dell'ordito — compete una funzione sociale (più concretamente sovrastrutturale, pertanto marxisticamente risolutrice o evidenziatrice di conflitti e contraddizioni inerenti la struttura, o base, socioeconomica), lo ha indotto ad elaborare una più esplicita, manifesta, parcamente e limpidamente allusiva forma di espressione, tale da offrire alla fruizione dell'indio prodotti alternativi — se non proprio surrogati — ad una cultura ancestrale perduta o non più accessibile in pienezza di dignità umana.

Saggiato il terreno di scavo e constatato, dai primi sondaggi, che la collazione non rivela solo ritocchi applicativi di una più intensa arte poetica individuale, bensì anche (e forse più) interventi compatti sulle stesse coordinate dell'espressione, sarà ora conveniente estendere la ricerca, a verifica di quanto sia attendibile lo scrutinio provvisorio tentato qui sopra.

Non è certo da ricusare l'opportunità di compiere il primo di questi supplementi d'indagine all'interno della sezione introduttiva del poema, al fine di controllare l'ipotesi di una dilatazione testuale sistematica in funzione di una compagine espressiva più speditamente intelligibile ad un potenziale fruitore non catechizzato. Le varianti apportate alla sesta lassa della prima stesura vanno appunto tutte verso un aumento di frequenza della figura della repetitio, ottenuta mediante diluizione in serie parallelistica della forma, vale a dire mediante la sua riorganizzazione in segmenti parzialmente sovrapponibili che costituiscono graduali e più concrete approssimazioni interpretative al nucleo dell'enunciato. In questo processo gioca un ruolo primario — accanto alla ripetizione parallelistica — la figura dell'accumulatio (per giustapposizione non coordinata) alla quale compete di precisare il significato dell'insieme attraverso la successiva adiectio — ad ogni passaggio parallelistico — di tessere suppletive che arricchiscono, anch'esse, il corredo degli elementi offerti al lettore per una meno epidermica fruizione del testo.

La sesta lassa della prima redazione

Con los dedos se peinaba
la memoria de cabellos de lago,
de la que caían dialectos
con ruido de lluvias carpinteras,
idiomas lacustres
tatuados con ruido de aguacero,
música de marimbas de teclas de piedra
tocadas según la escritura de las astronomías
sonoras, música de flechas emplumadas
de chirimías y tambores

si amplifica nella seconda redazione in tre lasse, la quinta, la sesta e la settima (la corrispondenza è chiarita dalla totale soppressione della ex-quarta):

V Con los dedos de ceiba
se peinaba la memoria algodonosa,
de la que caían dialectos
con ruido de lluvias carpinteras
y todos los sonidos
de las palabras terrestres...
Las palabras,
operarias de la luz...

VI Con los dedos se peinaba
la memoria de cabellos de lago,
de la que caían idiomas lacustres,
silábicos, tatuados de burbujas
y todos los sonidos
de las palabras acuáticas...
Las palabras,
operarias de la luz...

VII Con los dedos se peinaba
la memoria de cabellos de sol,
de la que caían lenguas de astronomías
habladas a través de los astros
y de marimbas de teclado de espejos
que golpeaban goterones elásticos
en flechas emplumadas de chirimías y tambores,
y todos los sonidos
de las palabras celestes...
Las palabras,
operarias de la luz...

La materia della sesta lassa originaria (10 versi) si allarga per successivi incrementi inseriti in uno sviluppo ternario asimmetrico (8-8-11 versi) della struttura portante: dei due perni del congegno parallelistico, il primo è dato dalla triplicazione del periodo discontinuo *con los dedos* (...) *se peinaba la memoria... de la que caían*, rispetto al quale la quinta lassa variata spaia in due tempi la tessera suppletiva (*de ceiba... algodonosa*, dove l'attributo di *ceiba* è collegato, per ipallage, a *memoria* (5) con cui forma una metafora fittizia), che le altre due mantengono intatta, univocamente riferita a *memoria* (*de cabellos de lago; de cabellos de sol*); il secondo è di nuovo conio e insiste sugli ultimi quattro versi delle tre lasse emerse dalla rifusione, con l'unico ricambio dell'attributo di *palabras* (*terrestres* → *acuáticas* → *celestes*): attributo connesso con la qualificazione latamente emblematica delle tre lasse, ciascuna addetta a gestire una quota della cosmogonia globale — rispettivamente 'terra' (*de ceiba... algodonosa, dialectos, terrestres*), 'acqua' (*de cabellos de lago, idiomas lacustres, acuáticas*), 'cielo-fuoco' (*de cabellos de sol, lenguas de astronomías, celestes*), — ovvero a rappresentare un settore della storia mitologica maya qual è formulata nel *Popol Vuh* (6) — la creazione del mondo, il diluvio universale, l'invenzione del fuoco da parte del dio Tahil, — o ancora a rispecchiare la gradazione gerarchica tra le parole creatrici (*Las palabras Operarias de la luz*) nel loro triplice aspetto di lingua parlata di uso locale frantumata in una miriade di « dialetti » (*caían dialectos Con ruido de lluvias carpinteras*), di lingua della scrittura sillabica formulatrice di poesia (*idiomas lacustres, Silábicos, tatuados de burbujas*), di lingua generale pittografica, sorta di koiné scritta adibita alla comunicazione scienfica a livello internazionale (*lenguas de astronomías Habladas a través de los astros*) (7). Una dosatura, dunque, che riflette il valore magico del numero tre, di cui la più implicita manifestazione è nel mito quiché della triplice creazione dell'uomo per tentativi — tranne in parte l'ultimo — falliti (gli uomini di fango, gli uomini di legno, gli uomini di mais), presente già per tracce nella prima stesura di *Clarivigilia primaveral* (nell'esordio, per dire, *La Noche, la Nada, la Vida*) ma che si dispiega nella redazione definitiva per cariocinesi — come nel caso esaminato — da matrici unicellulari, e si configura come applicazione di principi formali — idonei a facilitare la fruibilità del testo (parallelismo, iterazione, accostamento per accumulazioni successive al significato globale) — comuni alla tradizione maya e a quella eu-

---

(5) *Ceiba* è il nome di un genere di piante dicotiledoni della famiglia delle Bombacee (*eriodendron*) con fiori solitari o riuniti in glomeruli e rivestiti da un indumento cotonoso da cui si ricava il kapok.

(6) Per il *Popol Vuh* cf. G. BELLINI, *La letteratura ispano-americana*, Milano 1970, pp. 28-31 e bibl. p. 469.

(7) Sintetiche notizie al riguardo in M.A. ASTURIAS, *Clarivigilia Primaveral* a cura di A. Segala, Milano 1971, p. 177, note 8 e 9.

ropea (anzi, presenti in tutta la cosiddetta poesia « popolare »), e come adesione amplificata ad una cultura ancestrale rivissuta in piena partecipazione emotiva e razionale.

Quanto alla tecnica rielaboratrice seguita, sarà da osservare come i materiali dimessi siano meno numerosi di quelli usufruiti, e in definitiva troppo piattamente convenzionali per essere meritevoli di ricupero. Dilatati in parallelismo, con le opportune variazioni, i periodi già presi in esame; riscattati integralmente, sia pure in esemplare unico, *tatuados* e *fechas emplumadas de chirimías y tambores* (quest'ultimo raccolto, con cura sapiente, in verso singolo); modificati, in sintonia col nuovo contesto, *de marimbas de teclas de piedra* nel più disteso e autonomo *de marimbas de teclado de espejos* (nobilitato dal metaforico accostamento a *lenguas de astronomías*) e il freddo, scientifico *la escritura de las astronomías* nel più poetico *lenguas de astronomías* (inserito inoltre nella nuova costruzione parallelistica), il poeta ha finito col trovarsi tra le mani alcuni elementi esorbitanti dal suo nuovo disegno, materiale — in ultima analisi — di non eccelsa qualità: il ripetitivo *con ruido de aguacero*, già asimmetrico doppio di *con ruido de lluvias carpinteras*, si rivelava una grossolana zeppa; il verso *música de marimbas de teclas de piedra* col suo andante cantabile esigeva l'espunzione della parola iniziale e la modifica del sintagma finale per poter essere ricuperato; *sonoras*, riferito in pletorico enjambement ad *astronomías*, doveva venir prosciugato dall'eccesso di sonorità e autonomizzato in *sonidos* prima di una stabile collocazione nel procedimento parallelistico; *música* e *tocadas según*, infine, si manifestavano ormai materiale inerte da evacuare senza indugi né rimpianti.

Il secondo — e in questa sede ultimo — assaggio di controllo sulle tendenze innovatrici delle correzioni, porta al « nucleo drammatico più importante del poema », nel quale si manifestano « le ragioni di una incarnazione responsabile ed « umana » della poesia e dell'arte » [8] e si reinterpreta in formato poetico la moderna congettura di una rivolta sociale contro la casta dei sacerdoti maya, detentrice in esclusiva di tutte le attuazioni di una cultura intesa in origine al servizio del popolo: l'episodio dei *Cazadores Celestes*.

Senza lasciarsi sedurre dalla possibilità di iterare congegni sperimentati, il poeta non dimette l'uso dell'amplificatio, a precisare e spianare l'enunciato. La settima lassa dell'episodio, nella stesura originaria, comprendeva sette versi:

Partimos hacia la tierra a caza de Cuatricielo,
el de los ríos de sangre no navegables para los barcos

---

[8] *Ivi*, pp. 185-86.

de la muerte, el del nombre excepcional,
Cuatro-veces-Cielo,
el que llorará
para borrar el rocío negro
de nuestros estandartes.

Nella stesura definitiva, la lassa si estende per via di geminazioni, di addizioni e di interpretazioni, ma non ripete lo svolgimento in triplo, che qui non avrebbe il sostegno di motivazioni magiche.

Le due lasse (settima e ottava) risultate dalla revisione e dallo sdoppiamento della ex-settima, contano — rovesciati gli indici numerici prima coincidenti — otto e sette versi rispettivamente.

Modificato il primo verso di concerto con l'innovazione intervenuta al v. 4 della seconda lassa (*y partimos de cacería a la tierra* → *y partimos hacia el país En que hay más flores que tierra* ecc.) e spostati in settima e ottava sede il secondo e l'inizio del terzo verso, opportunamente ridistribuiti in due diversi periodi, Asturias ha lasciato cadere — senza rimpianto di nessuno — il relitto *el del nombre excepcional* la cui lampante natura di futile riempitivo — per di più ritmicamente sbagliato — lo rendeva superfluo, anzi dannoso all'equilibrio dell'intera lassa. A riempire il vuoto lasciato dalla liquidazione dell'ex v. 3, viene precettato l'esatto doppio del verso di apertura della terza lassa, rimasto indenne da correzioni (*Partimos a la cacería de Cuatricielo*), che verrà inoltre messo in opera, con variazione sinonimica del secondo segmento e diviso in due parti riequilibrate per ritmo e ora anche accoppiate da una rima « per l'occhio », a introdurre (vv. 1-2) l'ottava lassa (*Partimos a la cacería Del Hombre de las Magias*). I quattro versi residui della settima lassa (prima stesura) vengono dislocati all'ottava nella redazione definitiva, ad occupare le sedi, tutte inedite, disponibili a ridosso dei due versi di apertura, con l'innesto *el que llorará ‹lava de volcanes›* e l'additivo ultimo verso *sudor de artesanías* a completare — attributo di *estandartes* assunto inalterato dal v. 3 della seconda lassa definitiva — la lassa di nuovo conio. Quanto alla settima lassa (sempre della redazione definitiva), alla sua finitura concorrono tre nuovi versi a struttura anaforica, formati da una base invariata *sin conocer su* e dalla variazione *nombre/danza/máscara,* e infine due versi di chiusa per i quali viene ricuperato il v. 2 della prima stesura, sostituendovi l'esordio pronominale (*el de*) con la forma gerundiva *a sabiendas.*

La ridistribuzione della materia, alla ricerca di una maggiore incisività e di una più nitida aderenza al mito, valica sempre i confini del verso e spesso quelli della lassa. L'incipit dell'episodio, *¡Oropensantes-luceros!*, è supplito dal verso centrale della quarta lassa primitiva, *¡Oropensantes luceros! ¡Ojos-dioses!*, modello anche a (v. 3) *orodistantes luceros! ¡Ojos-dioses!* creato a sostituire l'antico *clari-*

titilantes, claridespiertos, al cui abbandono si associa quello dell'altro qualificativo a base *clari-* (v. 2 *claridormidos*) assegnato agli *ojosdioses*: all'estensione del termine *oro* a formante privilegiato degli attributi divini corrisponde la totale adesione al valore simbolico-gerarchico che esso — indicativo del « teocuítlatl », « l'escremento, la scoria degli dei, il sudore del sole dal colore identico a quello del mais » ([9]) — assume nella religione maya. Inoltre, la sottrazione, alla quarta lassa primitiva, del verso centrale e la conseguente sua riduzione a distico, comportano la rielaborazione su due versi anche della sesta che, già in parte legata in parallelismo alla quarta, ne diviene ora l'esatto duplicato, quasi un ritornello, cui subito ne viene aggiunto un altro di nuova formazione, collocato in XI, XIII, XV, XVII e XIX (conclusiva) sede:

> Cuatro eran las magias
> y cinco los cazadores,

leit-motiv corale, glossa lirica alla vindice attuazione epica di ciascuno dei cacciatori celesti.

All'intermissione di iterazioni periodiche si associa, nella redazione definitiva, l'amplificazione per successive rifiniture determinanti del v. 2 della terza lassa. Intatti i due versi iniziali, i successivi due

> cuadrilátero de ombligos de fuego
> donde se queman los copales preciosos de la vida

vengono temporaneamente accantonati per far luogo allo sviluppo iterativo, con ricupero quasi immediato del materiale costitutivo del primo dei versi espunti,

> el Hombre de las Cuatro Magias,
> el Hombre de los Cuatro Ombligos de Fuego,

e successivamente a

> quemadores de los cuatro copales preciosos de la vida

che rimette in circolo, appena rivisitati, forma e contenuto dell'altro.

L'inquieta ispezione dei passi da spianare ad una fruizione non elitaria prosegue sistematica e conduce talvolta Asturias a chiarimenti di natura didascalica, a fornire precisamente — con l'anticipazione-iterazione all'inizio della lassa di un verso mediano — il nome di ciascuno dei cinque cacciatori celesti, di cui il primitivo verso iniziale — spostato ora in seconda sede e retrocesso ad apposizione

---

([9]) *Ivi*, p. 176, nota 5.

parentetica — erogava allusivamente soltanto l'attributo distintivo, e che ora si presentano con perentoria immediatezza nella loro esplicita natura di guerrieri-aquila, austeri custodi delle altezze, simboli totemici dell'altipiano.

Accanto alla ridistribuzione e all'addizione chiarificanti, gli assestamenti stilistici e ritmici assumono rilevanza quando non siano vincolati ad esse: inversioni (I 4-5 *¡Este nuestro desafío! ¡Esta nuestra proclama!* → *esta nuestra proclama, Este nuestro desafío!*), cambi sintattici (complicati da raddoppi: II 4-5 *Ruptura de las joyas desnudas De la amistad* → II 6-8 *roto el pacto con la mariposa De las alas de lava, Rotas las joyas de la amistad*), associazione e dissociazione di versi o di segmenti, sostituzione di termini, e la consueta salutare potatura di riempitivi, rimasti in secco e manifestatisi nell'adeguamento dell'enunciato alle tensioni primarie che ne hanno dettato la revisione.

Il discorso sulle varianti resta di necessità incompleto, condotto com'è per campioni: la vistosità stessa delle correzioni apportate dal poeta alla prima stesura è la causa per la quale l'analisi critica resta aperta. Ma anche entro i limiti prevedibili e previsti, si vorrebbe che il tentativo abbia contribuito a sollevare i lembi estremi del sipario e a mostrare l'umiltà e la convinzione con cui Asturias si è proposto di adeguare il poema alla tradizione mitologica e alle possibilità fruitive della propria gente.

GIUSEPPE TAVANI

I MITI DEMISTIFICANTI DI ASTURIAS

Il testo teatrale di *Torotumbo*, tratto dall'omonimo racconto pubblicato da Miguel Angel Asturias nel 1955 nella raccolta *Week-end in Guatemala*, offre la possibilità di chiarire alcuni punti non secondari dell'opera dello scrittore guatemalteco. Anzitutto i suoi rapporti con il teatro. Asturias si dedicò al teatro in varie riprese e in vari tempi della sua carriera di scrittore. Nella sua piena maturità si collocano *Chantaje* (tragicommedia in tre atti), *Dique seco* (commedia in due atti), *Soluna* (commedia « prodigiosa » in due « giornate » e un finale) e *La audiencia de los confines* (cronaca in tre *andanzas*). Ma sin dai primi inizi letterari, Austurias amò dedicare una parte non trascurabile della sua produzione poetica a delle composizioni para-teatrali (le chiamò *fantomimas*), in cui riprendeva con un gran potere inventivo i modi e lo stile delle coeve farse surrealiste e di certo teatro spagnolo (il Valle-Inclán di *Los cuernos de Don Friolera* e il Lorca di *El amor de Don Perlimplín con Belisa en su Jardín*), dei *sainetes* e delle *zarzuelas* del genere « chico » spagnolo. Sono evidentemente testi minori nelle intenzioni e nella resa poetica e drammatica, per lo più rapportabili a nozioni di esperimento-occasione-laboratorio-divertimento. Questi d'altronde sembrano essere i denominatori comuni della maggior parte delle sue composizioni poetiche prima dell'impegno totale linguistico e tematico dei *Mensajes Indios* (1949-1954) e soprattutto della recente *Clarivigilia primaveral* (1965). Naturalmente i veri e propri testi teatrali citati più sopra sono interessanti perché indicano con sufficiente precisione i modi e le possibilità dello scrittore in questa direzione. *Chantaje* e *Dique seco* appartengono al genere brillante-paradossale-*boulevardier* spagnolo o portegno (con maggiori ambizioni e un indubbio virtuosismo scenico in *Chantaje*), ma ambedue costituiscono un « a parte » abbastanza inclassificabile nella traiettoria generale di Asturias. In *Soluna* interviene invece, in una banale storia di difficoltà coniugali, e come principalissimo ingrediente e motore poetico, la credenza indigena relativa al fermarsi del tempo durante il periodo delle eclissi. Tutti i personaggi legati in qualche modo alla sopravvivenza di questa credenza religiosa precolombiana conferiscono mistero ed efficacia drammatica all'intreccio che ricorda da vicino alcuni dei filoni più tradizionali e felici della narrativa di Asturias. Nella *Audiencia de los confines* si trova mirabilmente configurato il contraddittorio dramma della conquista spagnola d'America nella sua duplice dimensione eroica ed imperialista, straordinaria e meschina, mediante la teatralizzazione dell'ultimo episodio della vita del padre Las Casas, il famoso Apostolo delle Indie, difensore del diritto degli indigeni contro la rapacità degli *encomenderos* schiavisti e dei teologhi di Salamanca che negavano loro la natura umana. Ora, mentre in *Soluna* l'ambiente e lo *envoûtement* magico indigeno sono resi con notevole efficacia e suggestività, la pittura del mondo autoctono mesoamericano dialetticamente opposto nella *Audiencia de los confines* all'invasore spagnolo sembra risentire di una fissità oleografica e di movenze e luccichii di tipica scadenza modernista. Drammaticamente risulta molto più efficace il vorace mondo spagnolo della Conquista nella sua tipica, irripetibile e profondamente sincera commistione di elementi religiosi, crematistici, dell'onore e della gloria personale e della razza.

Torotumbo è opera recentissima (1968), nella quale Asturias aduna e risolve in una felice accensione ideologica e poetica alcuni fra i più importanti motivi del suo mondo di scrittore, riuscendo ad una loro teatralizzazione infinitamente più riuscita ed aggiornata delle sue precedenti esperienze (le quali, sarà da rilevare, non sono state quasi mai portate sulla scena per esplicita scelta dell'autore — di qui le didascalie e le indicazioni sceniche abbastanza improbabili e comunque tipiche di una non estrema familiarità con i problemi tecnici della messinscena). *Torotumbo* serve in modo assai pertinente per comprendere cosa sia in realtà per Asturias l'impegno politico dello scrittore e il suo speciale atteggiamento di fronte agli accadimenti pubblici della sua patria. Come è stato detto all'inizio, *Torotumbo* era inizialmente l'ultimo dei sei racconti che compongono il libro *Week-end en Guatemala* scritto da Asturias nel 1955, e cioè all'indomani dell'invasione mercenaria del Guatemala fomentata dagli ambienti legati ai grandi *trusts* bananieri internazionali. Come è noto, il governo Arbenz aveva intrapreso negli anni 1951-54 una modesta riforma agraria che doveva — mediante indennizzo — favorire il ritorno delle terre agli indios che ne erano stati spoliati nel corso dei secoli e che ora si trovavano quasi totalmente in mani nordamericane. Per un tipico meccanismo della guerra fredda e del clima di caccia alle streghe di maccarthistica memoria della amministrazione Eisenhower-Dulles, il governo guatemalteco — espressione caratteristica della nuova borghesia nazionale riformistica latinoamericana — si trovò a dover rispondere all'accusa di comunismo, anzi di cavallo di Troia della penetrazione comunista internazionale in America Latina. La consueta conferenza panamericana teleguidata da Washington (che si svolse a Caracas nel 1955) condannò il governo Arbenz, ed una « innocente » spedizione comandata dal colonnello di turno, con la partecipazione indiretta degli Stati Uniti e diretta dei *trusts* sopra menzionati, mise fine rapidamente al governo « *nazionale* » e « *socialdemocratico* » che il Guatemala era riuscito a darsi dopo una serie di sinistre e lunghissime dittature, fra le quali ricorderemo soltanto quelle ultraventennali di Estrada ed Ubico perché costituirono la materia prima dalla quale Asturias trasse il suo famoso *Signor Presidente*. Recentemente, ma ahimé inutilmente, i governi nordamericani posteriori riconobbero a mezza bocca il tragico errore che impedì uno svolgimento graduale e sicuro della vita democratica guatemalteca e latinoamericana in generale con i ritardi e i nuovi problemi — ben più inquietanti e minacciosi — della situazione attuale, ma è sufficiente scorrere i giornali ed i libri numerosissimi che suscitò l'*affaire* per avere un'idea del falso ideologico che presiedette ad uno dei più clamorosi esempi di sopraffazione economica e politica del nostro secolo.

Asturias durante il governo Arbenz ricoprì successivamente le cariche di ministro plenipotenziario a Parigi e di ambasciatore al Salvador, Stato confinante di enorme importanza strategica quando cominciarono le prime avvisaglie della quarantena guatemalteca, ed alla sua personale opera di dissuasione si deve il rifiuto di quel governo a lasciar passare da quel territorio le truppe mercenarie. La partecipazione di Asturias a questo episodio militare della vita politica del suo paese non si manifestò solamente nella sua attività diplomatica, ma coinvolse in modo globale la sua vocazione e qualità di scrittore. A questo periodo e direttamente condizionata a quegli avvenimenti si deve appunto la famosa *Trilogia bananera* e *Week-end en Guatemala*, dal cui ultimo racconto, *Torotumbo*, è stato tratto il testo teatrale odierno. La struttura e le esigenze delle società americane pongono gli artisti e gli intellettuali di fronte ad una serie di doveri e ad uno stato di necessaria — ineludibile — testimonianza. Relativamente alla nostra, l'intelligenza latino-americana sembra da sempre, dal suo primo classico, l'inca Garcilaso della Vega, più vicina e partecipante al momento storico in cui vive ed intende la funzione intellettuale e la espressione artistica come un servizio pubblico, un dovere civilizzatore. Questa concezione e ancor più questa prassi consacrata ormai nel costume di oltre quattro secoli di storia letteraria, non annullano affatto la possibilità e forse il dovere della parentesi, della concentrazione esclusivamente personale; ma da noi la parentesi può anche essere lo stato normale dello scrittore, in America Latina è tradimento e diserzione. In questo senso la *militancia* di Asturias si inserisce in un ben radicato atteggiamento, e in una precisa costante latino-americana. Sarà invece interessante osservare che un'attenta analisi dei motivi e dei modi di questa non mediata od interposta partecipazione personale dello scrittore, non gli deriva tanto da sollecitazioni od appartenenze ideologiche e partitiche di segno a noi famigliare quanto da una cosciente investitura che trova radice e collegamento direttamente nel genio ancestrale del suo *ethos*. Asturias nella sua opera di scrittore non esprime soltanto i suoi fantasmi personali, ma la condizione, le speranze e le sconfitte della sua terra, perché da sempre così è chiesto a coloro che — sacerdoti, poeti o uomini di stato — sono alla sommità della piramide sociale e ne sono al tempo stesso segno e voce. Voce di protesta e di denuncia non solo politica e sociale, ma più profondamente culturale, contro cioè la *urbis* straniera che oltraggia il sacro e continuo patrimonio indio.

Torotumbo — dramma di uno stupro, di un ricatto, di una mistificazione politica attuale ed antichissima che prende l'avvio ed è come fecondata dal ricordo inquietante e mitico della non dimenticata cronaca politica del 1954, si svolge su due piani, anche scenici, ben precisi.

Da un lato stanno i torbidi incantamenti di un vecchio magazzino di costumi teatrali e di maschere, le voglie sessuali represse di un « solitario », la violenza carnale ad una piccola e spaurita — muta — fanciulla india, dall'altro l'infame sopruso patito ed immediatamente sublimato in un ritorno del piccolo corpo alla sua terra, vera palingenesi del singolo che accende ed organizza la palingenesi sociale. Quando il padre ed il padrino della piccola Natividad (perno ideale e simbolico intorno al quale gira l'intero dramma) trovano la fanciulla schiacciata ed oltraggiata dal mostruoso e pesantissimo costume del Demonio = Carne Cruda, la storia banale ed efferata si trasferisce bruscamente su un altro piano ed incomincia implacabile ed abilissimo, realista e totalmente fabulato ad un tempo, il processo di identificazione simbolica fra Natividad = Spirito incorrotto della terra, e Carne Cruda — elementi culturali esogeni che dopo la Conquista si sono venuti sovrapponendo con inquietante ambiguità all'*ethos* originario. Con una dinamica teatrale straordinariamente suggestiva e una rara e naturale capacità di accumulazione di significati bifronti, Asturias riesce a trasformare ciò che a tutta prima sembrava l'arbitrario ricorso del laido Tamagas, in una verità poetica e simbolica totale. Assai coerentemente, e non per un comodo effettismo spettacolare, la tragedia termina con l'esplosione del Mostro provocata da un *deus ex machina* che a parte la funzionalità del suo ruolo è forse il personaggio — l'italiano Tizonelli — più rigido e psicologicamente meno ricco e più prevedibile. Intorno a Carne Cruda, alla fine della tragedia, misteriosamente evocati dal Maligno, si raccolgono in un tipico rito di intolleranza — l'autodafé —, quasi per un appuntamento della storia, coloro che incarnano nelle loro multiformi funzioni la *urbis* straniera, non solamente quella dell'oro e degli affari ma quella delle idee e delle sopraffazioni storiche. La polemica e troppo scopertamente *engagée* trasposizione Carne Cruda = comunismo (perfidamente dettata da un sinistro rappresentante di certo cattolicesimo spagnolo controriformista e fanatico) e Natividad = Guatemala-America Latina-la Patria, diventa poeticamente vera ed operante, perché si collega naturalmente ad una lunghissima e dolorosa teoria di nefandezze storiche e di soprusi civili ed ideologici e riceve un suo più ampio entroterra, una sua adeguata collocazione: diventa l'ultima incarnazione, l'ultimo episodio di prevaricazione culturale — oltre che politica — esercitato sul mondo indigeno autoctono considerato qui in una sua archetipica e keatsiana purità. In questo modo *Torotumbo* (il cui nome designa la danza di purificazione e di esorcismo che gli indios celebrano quando è avvenuto nella loro comunità qualche fatto di straordinaria profanazione, e la danza diventerà poi in un ulteriore incrocio di simboli il movimento di liberazione del popolo dai suoi oppressori, vero rito di « autoctona » affermazione), in cui protesta e denuncia sono così sottilmente tessuti e nel quale intervengono un po' tutti gli ingredienti classici della maggiore narrativa di Asturias, non è un *pamphlet* casuale o legato irrimediabilmente ad accadimenti ben databili in un certo periodo e quindi soggetti all'usura della cronaca, ma assume le movenze sacrali di un *auto* indigeno nel quale una scatenata e magicamente surreale fantasia quevediana consuma una vendetta definitiva e totale. Per questo la politicità di questa commedia è ben più durevole ed attuale di quanto lo possa essere la sua occasione — per importante e traumatizzante essa sia stata — e diventa la sede di un dibattito, di un giudizio i cui protagonisti hanno la statura, la dimensione dei secoli e i cui termini dialettici ricordano le antitesi eraclitee delle cosmogonie dei « Soli » maya.

AMOS SEGALA